CLO S0-ADT-537

Les mystères romains

4. Les assassins de Rome

Les mystères romains

First published in Great Britain in 2002
by Orion Children's Books
a division of the Orion Publishing group Ltd
Orion House, Upper St Martin's lane
London WC2H 9EA
Copyright © Caroline Lawrence 2002
Maps by Richard Russell Lawrence
© Orion Children's Books 2002
The right of Caroline Lawrence to be identified
as the author of this work has been asserted.

Titre original : *The Assassins of Rome*

Pour l'édition française :
© Éditions Milan, 2003
pour le texte et l'illustration
ISBN : 2-7459-1022-1

CAROLINE LAWRENCE

Les mystères romains

4. Les assassins de Rome

Traduit de l'anglais par
Amélie Sarn

MILAN POCHE
HISTOIRE

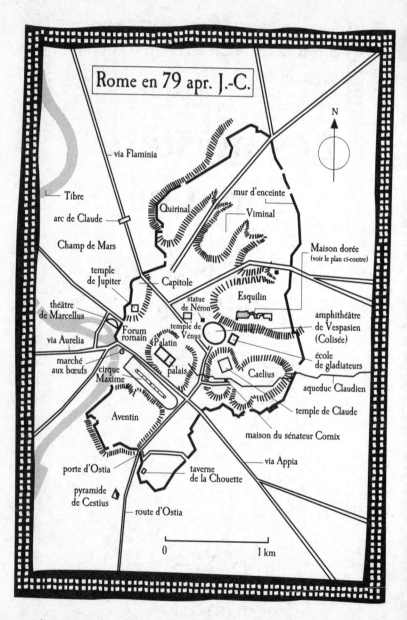

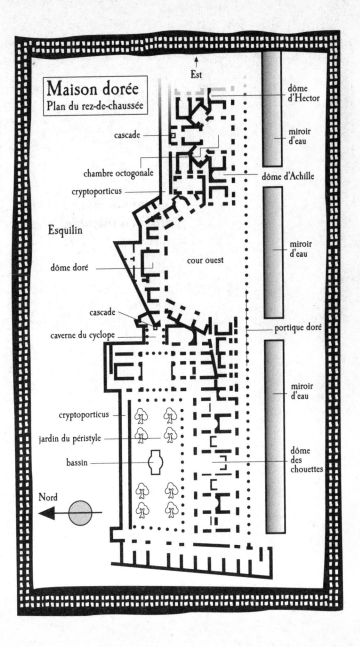

Maison dorée
Plan du rez-de-chaussée

Est

dôme d'Hector

miroir d'eau

cascade

chambre octogonale

dôme d'Achille

cryptoporticus

Esquilin

miroir d'eau

cour ouest

dôme doré

cascade

caverne du cyclope

portique doré

miroir d'eau

cryptoporticus

jardin du péristyle

bassin

dôme des chouettes

Nord

À mon fils Simon,
qui m'a inspirée.
C. L.

ROULEAU I

C'était une matinée chaude dans le port d'Ostia[1]. Les ides[2] de septembre étaient passées depuis deux jours.

Un jeune garçon aux cheveux foncés regardait tristement ses cadeaux d'anniversaire.

Il était assis en compagnie de ses amis sur des coussins, autour d'une table octogonale, dans un petit triclinium[3]. La pièce était agréable avec ses murs rouges et son sol de mosaïques noires et blanches. Elle donnait sur un jardin verdoyant où se dressaient des colonnes. Une brise légère soufflait dans les feuilles du figuier et la fontaine chantait.

– Je vous assure, affirma-t-il, il y a toujours un malheur le jour de mon anniversaire.

– Jonathan, soupira Flavia[4], le mois dernier tu as réchappé d'une éruption volcanique, d'un coma et d'un enlèvement chez les pirates. Tu es chez toi, la

---

1. Port de Rome et ville natale de Flavia Gemina.
2. Une des trois dates clés du calendrier romain. Le plus souvent, les ides tombaient le 13 de chaque mois. En mars, mai, juillet et octobre, c'était le 15.
3. Salle à manger.
4. Nom féminin qui signifie « Jolie chevelure ».

journée est belle, que pourrait-il t'arriver ? Ne sois pas si pessimiste.

– Qu'est-ce que c'est, un sepimmiste ? demanda une jeune fille à la peau noire en buvant une gorgée de jus de pamplemousse.

Nubia, vêtue d'une tunique jaune, était l'ancienne esclave* de Flavia. Elle ne vivait en Italie que depuis quelques mois. Elle apprenait vite, mais elle manquait encore de vocabulaire.

Flavia but à son tour puis leva sa coupe de céramique[1].

– Nubia, dit-elle, décrirais-tu cette coupe comme à moitié pleine ou à moitié vide ?

La jeune fille réfléchit.

– À moitié pleine.

– Tu es donc une optimiste. Tu regardes le côté positif des choses. Et toi, Jonathan, tu dirais à moitié pleine ou à moitié vide ?

Jonathan haussa les épaules.

– À moitié vide. Et en plus, ce jus de pamplemousse n'est même pas bon, il est acide.

Flavia sourit à Nubia :

– Tu vois, Jonathan est pessimiste.

– Je ne suis pas pessimiste, protesta Jonathan, je suis réaliste.

---

1. Argile cuite dans un four à très haute température.
* Les mots ou groupes de mots suivis d'un astérisque sont expliqués dans le glossaire en fin de volume.

Flavia rit et tendit sa coupe à un jeune garçon vêtu d'une tunique verte assortie à ses yeux.

– Et toi, Lupus[1] ? Qu'en penses-tu ?

– Tu sais qu'il ne peut pas répondre, lança Jonathan, il n'a plus de langue.

– Tais-toi, dit Flavia. Alors Lupus ?

Lupus prit la coupe et en vida le contenu d'un trait.

– Hé ! s'écria Flavia.

Mais ils éclatèrent tous de rire en lisant ce que Lupus avait écrit sur sa tablette :

Complètement vide.

Lupus sourit sans lever la tête. Il écrivait autre chose.

Ouvre les cadeaux.

– D'accord, d'accord, accepta Jonathan. J'ouvre le tien en premier.

Il prit sur la table un mouchoir taché fermé par une vieille ficelle et le soupesa.

– C'est lourd et… ça roule sous les doigts…

Il dénoua la ficelle et versa le contenu sur la table.

– Des cailloux ! Tu m'as offert des cailloux !

Flavia secoua la tête.

– Ce ne sont pas de simples cailloux, Lupus a dû chercher longtemps pour les trouver.

Lupus acquiesça vigoureusement.

1. Nom romain qui signifie « Loup ».

– Ils sont ronds et lisses... parfaits pour ta fronde, expliqua Nubia. Maintenant, ouvre mon cadeau.

Elle mit entre les mains de Jonathan un papyrus[1] roulé. Jonathan l'ouvrit et découvrit une lanière de cuir.

– Un collier de chien ! Tu veux m'emmener promener ? Tu as peur que je m'enfuie ?

– Ce cadeau est pour toi et ton chien Tigris, rectifia Nubia. Plutôt pour Tigris.

– Merci Nubia, sourit Jonathan, et il montra le collier à Tigris qui rongeait un os d'agneau sous la table. Et merci aussi à toi, Lupus. Ce matin, ma sœur Miriam m'a offert un boulier et Papa une nouvelle cape. Rien que des cadeaux utiles !

– Je sais que tu aimeras ce que j'ai choisi pour toi, affirma Flavia en donnant à son ami un sac de lin bleu. Ça ne sert à rien du tout !

– Hmm ! Un cadeau de Flavia... Qu'est-ce que ça peut bien être ? Un parchemin ? Eh oui, surprise, un parchemin ! *Poèmes d'amour* de Sextus Propiertus... Ce n'est pas le parchemin que TU voulais pour ton anniversaire ? demanda Jonathan à Flavia en levant un sourcil vers elle.

– Euh... bredouilla Flavia. Je croyais que toi aussi tu en avais très envie. C'est l'histoire d'une jolie jeune fille aux cheveux exactement comme tu-sais-qui.

---

1. Matière fabriquée à partir d'une plante égyptienne, utilisée pour confectionner des objets de vannerie, et aussi des feuilles pour écrire.

Jonathan fit la grimace, posa le papyrus et examina le sac dans lequel il était enveloppé.

– Enfin, le sac n'est pas mal. C'est déjà ça. Je pourrais m'en servir pour ranger les jolies munitions de ma fronde.

– Ah non ! lança Flavia en déroulant le papyrus qu'elle venait d'offrir à Jonathan. Il est à Pater. Je m'en suis juste servie pour envelopper ton cadeau.

Jonathan poussa un nouveau soupir.

– Et celui-là est de qui ? demanda-t-il en prenant une petite bourse de soie jaune.

Flavia leva les yeux.

– Ah ça ! C'est de tu-sais-qui. Pulchra. Et Felix. Avant que nous partions, Pulchra m'a demandé la date de ton anniversaire et elle m'a donné ça pour toi.

– Très joli, apprécia Jonathan.

C'était une petite amphore[1] en glaise orangée, ornée de silhouettes noires.

– Pulchra m'a dit que ce vase venait de Corinthe[2], précisa Flavia, ça s'appelle un alabastron[3]. C'est très ancien et très cher.

– Tout ce qui est dans la maison de Pulchra est très cher, lâcha sèchement Jonathan.

Mais il avait l'air plutôt content.

1. Vase d'argile utilisé pour transporter le vin, l'huile et les céréales.
2. Port grec où vivaient beaucoup de juifs.
3. Petite amphore destinée à être emplie de parfum.

– Regarde, Nubia, remarqua Flavia, c'est une scène inspirée du texte que nous avons étudié ce matin. Ulysse[1] et trois de ses compagnons. Ils crèvent l'œil du Cyclope[2] avec un pieu.

– Quelle horreur ! s'exclama Nubia. Pourquoi font-ils ça ?

– Parce que le Cyclope est un monstrueux géant qui veut les dévorer, dit Jonathan en saisissant le bouchon de cire jaune de l'amphore.

– Tu te souviens qu'Aristo nous a appris qu'il avait fallu dix ans à Ulysse pour revenir de Troie, reprit Flavia. Polyphème est un des monstres qu'il a dû affronter sur le chemin du retour.

– Je me rappelle, acquiesça Nubia. Pénélope, la femme d'Ulysse, passait son temps à faire et défaire sa tapisserie.

Flavia sourit.

– Exactement ! Tout le monde pensait qu'Ulysse était mort et les hommes voulaient épouser la reine Pénélope pour devenir roi. Mais elle était fidèle et n'a laissé d'espoir à aucun d'entre eux. Pour les faire patienter, elle a proposé de choisir parmi ses prétendants lorsque sa tapisserie serait achevée. Chaque nuit, à la lueur d'une torche, elle défaisait ce qu'elle avait passé sa journée à faire. Elle était certaine qu'Ulysse reviendrait.

---

1. Héros de la mythologie grecque, qui a combattu Troie.
2. Monstre mythique avec un œil unique au milieu du front.

–Joyeux anniversaire, petit frère.

Miriam, la sœur de Jonathan, entra dans le triclinium et posa un plateau sur la table.

– Je t'ai préparé tes gâteaux préférés, avec des graines de sésame et du miel. Mais ne te gave pas, sinon tu n'auras plus faim pour la suite.

–Merci, dit Jonathan en engloutissant un gâteau avant de passer le plateau à ses amis.

–Miriam, demanda Flavia en croquant dans son gâteau, c'est vrai qu'un malheur arrive toujours à l'anniversaire de Jonathan ?

Miriam réfléchit.

–Maintenant que tu le dis… Tu vois cette cicatrice sur mon bras.

Elle retroussa la manche de sa tunique pour montrer une marque à peine visible juste au-dessus de son coude gauche.

–Le jour de ses huit ans, Jonathan m'a envoyé une flèche.

–J'avais pas fait exprès, protesta Jonathan, la bouche pleine. Mais rappelle-toi quand je suis tombé d'un arbre l'année dernière. Je me suis évanoui et Papa m'a obligé à rester couché tout l'après-midi.

–Et l'année précédente, reprit Miriam, tu as couru dehors pour essayer ta nouvelle fronde et tu as marché sur une abeille.

Jonathan prit un troisième gâteau.

–C'était pas une abeille, c'était une guêpe.

Miriam lui donna une petite tape sur la main et récupéra le plateau.

– Ton pied a gonflé et est devenu plus gros qu'un melon. Tu n'as pas pu marcher pendant trois jours, ajouta-t-elle en sortant.

Jonathan se lécha les doigts et essaya de nouveau d'ouvrir l'alabastron.

– Je vous l'avais dit, il m'arrive toujours un malheur le jour de mon anniversaire et… Oups !

Un parfum entêtant envahit la pièce. L'amphore gisait en morceaux sur le sol. Tigris renifla l'huile qui s'étalait.

– Oh ! s'écria tristement Nubia, tu as cassé le cadeau de Pulchra.

– Et elle était pleine d'huile parfumée, renchérit Flavia, merveilleusement parfumée d'ailleurs.

Jonathan n'ouvrit pas la bouche. Il regarda, désespéré, les débris de l'amphore et le liquide doré qui disparaissait entre les mosaïques.

– Vite, le pressa Flavia, tout n'est pas perdu !

Elle tira le mouchoir de lin de la ceinture de Jonathan et le posa sur la flaque. Puis elle utilisa le sien. Lupus attrapa le mouchoir qui lui avait servi à envelopper les pierres. Il se mit à quatre pattes pour aider Flavia, et Tigris lui lécha le visage.

– Quelle est cette odeur ? demanda Flavia. Ce n'est pas de la balsamine, ni de la myrrhe. De l'encens non plus.

– J'en ai déjà senti, murmura Jonathan. Cette odeur me rend triste.

– Comment est-ce possible ? s'étonna Flavia. Une odeur aussi agréable devrait t'enchanter au contraire.

– C'est l'odeur de la liberté, prononça solennellement Nubia.

Lupus prit sa tablette et écrivit :

Fleur de citron.

– Bien sûr, s'exclama Jonathan. Ce parfum a été fabriqué avec les citrons de la villa Limona.

Ils se turent un moment, perdus dans leurs souvenirs de la magnifique villa du cap de Surrentum et des événements du mois dernier. Malgré leur enlèvement et leur rencontre avec les pirates, ils gardaient tous une excellente image de Pollius Felix et de sa très jolie fille, Pulchra.

– Peut-être y retournerons-nous un jour, dit Jonathan, le regard dans le vague.

Ses amis acquiescèrent.

– Felix a été si généreux, soupira Flavia. Il m'a offert une coupe grecque, il t'a donné cette amphore d'huile parfumée et à Nubia une flûte neuve.

Nubia hocha la tête.

– Et toi, Lupus, t'a-t-il donné quelque chose ?

Lupus agita ses mains.

– Ah oui ! dit Flavia, il t'a donné un tambour.

Lupus reprit sa tablette :

Il cherche quelque chose d'autre.

– Pour toi ? demanda Flavia. Il cherche autre chose à t'offrir ?

Lupus acquiesça.

– Quoi ? s'enquit Jonathan.

Le jeune garçon haussa les épaules.

– Eh bien, lança Flavia en se glissant une mèche de cheveux derrière l'oreille, quoi que ce soit, il va forcément le trouver. Felix est plus puissant que l'empereur lui-même.

– Je serais toi, Flavia, je tiendrais ma langue, tonna une voix, Les empereurs tuent ceux qui profèrent de telles phrases.

ROULEAU II

Docteur Mordecaï[1] ! s'écria Flavia.

– Vêtu d'un large caftan[2] bleu et coiffé d'un turban noir, le père de Jonathan se tenait dans l'encadrement de la porte.

– Que la paix soit avec vous, Flavia et Nubia, salua-t-il en entrant dans le triclinium. Tu sais qu'il n'est pas très prudent de dire qu'une personne est plus puissante que l'empereur... Je suis certain que tu ne veux pas attirer d'ennuis à Publius Pollius Felix. Il s'est montré un excellent ami. Mon Dieu...

Le docteur s'assit près des filles.

– ... cette odeur !

– C'est de la fleur de citronnier, murmura Jonathan. J'ai cassé une amphore de parfum.

– Voilà dix ans que je n'avais pas senti cette odeur.

– Tu connais ? s'étonna Jonathan.

Mordecaï resta silencieux.

---

1 Nom hébreu.
2. Vêtement oriental ample et long.

21

Sa barbe avait été brûlée par un morceau de bois enflammé lors de l'éruption du Vésuve.

– À Jérusalem, finit-il par dire, dans la cour de tes grands-parents, poussait un superbe citronnier. Ta mère l'adorait. Elle ne se parfumait qu'avec de l'huile au citron.

– Voilà pourquoi cette odeur te rend triste, Jonathan, comprit Flavia.

– L'odorat est notre premier sens, dit le docteur Mordecaï. Tu ne te rappelles pas le visage de ta mère mais son odeur est gravée dans ta mémoire… Dans la mienne aussi, ajouta-t-il après un instant.

Les yeux de Flavia s'emplirent de larmes. Elle aussi avait oublié le visage de sa mère. Flavia n'avait que trois ans quand elle était morte en donnant naissance à des jumeaux. Les bébés n'avaient pas survécu non plus. Flavia pensa soudain à son père, le capitaine Marcus Flavius Geminus. Il avait levé l'ancre avant l'éruption du volcan et elle n'avait pas eu de nouvelles depuis. Flavia espérait qu'il allait bien et qu'il serait bientôt de retour à la maison, mais une larme coula sur sa joue et elle dut se mordre la lèvre pour l'empêcher de trembler.

Elle entendit un reniflement et vit en se tournant vers Nubia que son amie pleurait aussi. Le père de Nubia avait été tué par des marchands d'esclaves et les autres membres de sa famille avaient été emprisonnés.

Lupus gardait les yeux secs, mais son regard vague ne trompait pas.

– Je n'avais jamais remarqué, dit soudain Flavia, nous avons un point commun : nous sommes tous orphelins de mère.

– C'est vrai, dit Jonathan avant de regarder son père. Père ?

– Oui, Jonathan.

– Pourquoi Maman est-elle morte ?

– Je te l'ai déjà dit. Elle a été tuée il y a neuf ans pendant le siège de Jérusalem.

– Je sais comment elle est morte, je veux savoir pourquoi, insista Jonathan. Pourquoi est-elle restée à Jérusalem quand nous sommes partis ? Pourquoi n'est-elle pas venue avec nous ?

– Le père de ta mère était rabbin. Il affirmait que ta mère ne devait pas fuir. Elle a choisi de lui obéir.

– Mais ça ne lui a rien fait que tu nous emmènes, Miriam et moi ? Elle ne nous aimait pas ?

Le docteur Mordecaï ne dit rien.

– Père ?

Il leva la tête mais évita le regard de son fils.

– Bien sûr qu'elle vous aimait, répondit-il, elle vous adorait. C'est moi qui ai voulu vous emmener et elle a fini par céder.

Flavia observait Mordecaï. Elle avait l'impression qu'il leur cachait quelque chose. D'ailleurs, Jonathan n'était pas satisfait de la réponse.

Tigris aboya et sortit en courant du triclinium. On frappa à la porte d'entrée ; la voix, inquiète, de

Miriam s'éleva. Elle apparut une minute plus tard, le visage pâle.

– Des soldats, murmura-t-elle, les yeux agrandis par la peur. Deux soldats et un magistrat demandent à te voir, Père.

Deux soldats râblés et un petit homme en toge* blanche se tenaient dans l'atrium[1]. À leurs pieds, Tigris aboyait. Chez Flavia, dans la maison d'à côté, Ferox, Scuto et Nipur l'imitèrent. Bientôt tous les chiens d'Ostia allaient se joindre à eux.

– Tigris, couché ! ordonna Jonathan en prenant son chien par le collier et en le caressant entre les oreilles. C'est bien, bon chien.

Mordecaï s'inclina devant les hommes.

– Que la paix soit avec vous. Vous êtes les bienvenus dans cette maison. Puis-je vous aider ?

– Docteur ben Ezra, commença le jeune magistrat aux yeux clairs, nous nous rencontrons de nouveau.

– Bato ! s'exclama Flavia. Vous êtes Marcus Artorius Bato ! Vous vous souvenez de moi ? Vous nous avez aidés à attraper un voleur[2] !

– Bien sûr, Flavia Gemina[3]. Comment aurais-je pu vous oublier ?

1. Salle de réception des grandes villas romaines. En général à ciel ouvert, il contient un bassin d'eau de pluie.
2. Voir *Les Mystères romains*, tome 1, *Du sang sur la via Appia*.
3. Nom qui signifie « Jumelle ». Geminus et Gemini sont les mêmes mots au masculin et au pluriel.

Il sourit puis remarqua leurs joues zébrées de larmes.

– Quelqu'un est mort ? s'inquiéta-t-il.

– Nos mères, répondit Jonathan.

Bato fronça les sourcils puis secoua la tête comme pour s'éclaircir les idées.

– Docteur, reprit-il en se tournant vers Mordecaï, nous pensons qu'un dangereux criminel projette de venir chez vous. Connaissez-vous un homme appelé Simon… Simon ben Jonah ? continua Bato après avoir consulté sa tablette de cire. Un navire en provenance de Grèce a accosté ce matin et le suspect en est descendu. Notre informateur l'a formellement reconnu et l'a suivi. Il l'a entendu demander l'adresse d'un médecin juif. Étant donné que vous êtes le seul à Ostia…

Jonathan jeta un coup d'œil vers son père. Bato poursuivit :

– Ce Simon est un homme très dangereux. C'est un assassin. Avez-vous des ennemis, docteur ? Quelqu'un prêt à payer un homme pour vous tuer ?

Le visage de Mordecaï était devenu plus blanc que la toge du magistrat.

– Non… je ne crois pas…

– Je vous suggère de fermer votre porte à clé. Et de ne pas sortir sans un garde du corps. Nos hommes recherchent le suspect mais si vous le désirez, je peux demander à deux de mes soldats de rester à votre porte.

–Euh… Non, merci, refusa le père de Jonathan. Ce ne sera pas nécessaire. Nous serons prudents.

–Un nouveau mystère ! lança Flavia. Je suis prête !

Bato secoua la tête.

–Ce n'est pas un jeu. Cet homme est dangereux.

–C'est quoi, « assassin » ? demanda Nubia.

–Un homme que l'on paye pour tuer un autre homme, répondit Flavia.

–À quoi ressemble-t-il ? s'enquit Jonathan.

Bato relut sa tablette.

–D'après notre informateur, il a une trentaine d'années, il est grand, mince, et sa peau est sombre. Il est barbu et ses cheveux sont très longs et frisés. Il porte parfois un turban.

Il se tourna vers Mordecaï.

–Je suis désolé, je n'ai pas plus de renseignements. Si vous voyez un personnage de ce genre rôder…

–Nous vous préviendrons immédiatement, dit Mordecaï.

–Il a tué beaucoup de gens ? débita Flavia d'une traite avant que le magistrat s'en aille.

–D'après ce que je sais, oui, hésita Bato. Il fait partie des assassins que nous devons arrêter à tout prix.

Les quatre amis se regardèrent, inquiets.

–Nous serons prudents, répéta Mordecaï en raccompagnant Bato et les soldats à la porte.

Dès qu'ils furent partis, Jonathan se tourna vers ses camarades.

– Fantastique ! Un dangereux assassin veut nous tuer ! Tu avais raison, Flavia, rien de grave n'arrive jamais le jour de mon anniversaire !

ROULEAU III

—Nubia… depuis combien de temps Pater est-il parti ? demanda Flavia.

De retour des thermes, Flavia et Nubia se reposaient dans leur jardin. Elles attendaient l'heure de rejoindre Jonathan pour son dîner d'anniversaire.

Nubia était allongée sur le ventre près de la fontaine.

—Il nous a emmenés en bateau chez ton oncle, répondit-elle, et deux jours plus tard, nous sommes allés à Pompéi pour le voir partir. La nuit d'avant était une nuit sans lune.

—Oui, c'est ça, murmura Flavia.

Elle était assise sur le banc de marbre à l'ombre du figuier, une tablette de cire et un stylet à la main.

—Pater est donc parti le jour de la nouvelle lune. Et ce soir, ce sera encore la nouvelle lune.

Nubia observait des fourmis noires qui essayaient de porter un grain d'orge au sommet de leur fourmilière. Près d'elle, sous un massif de jasmin, Ferox, Scuto et Nipur haletaient, couchés comme trois sphinx par ordre de taille : du plus petit au plus grand.

– Pater est donc parti depuis un mois, soupira Flavia en posant sa tablette sur le banc. J'ai l'impression que ça fait un an.

– Tant de choses sont arrivées, dit Nubia sans lever les yeux.

– C'est vrai. Le volcan, la maladie de Jonathan, Miriam qui est tombée amoureuse, les pirates… Je vais tenir un journal. Je ne veux rien oublier. Je demanderai peut-être à Lupus de faire les dessins.

Nipur bâilla et sa queue battit l'air. Il s'ennuyait. Nubia ne pouvait détacher son regard des fourmis. Elles étaient si obstinées. Le grain d'orge tomba pour la troisième fois et Nubia décida de leur donner un coup de main.

Du bout des doigts, elle prit le grain d'orge et le déposa au sommet de la fourmilière, juste à côté de l'entrée. Les fourmis le découvrirent et le poussèrent dans la galerie.

Nubia sourit et se remit sur le dos. Les fourmis avaient de quoi faire un festin, et peut-être allaient-elles chanter des chansons de fourmis, en ignorant totalement qu'une immense créature les avait regardées et aidées.

Le bruissement de la fontaine et le bourdonnement des cigales la berçaient. Nubia ferma les yeux.

Mais elle les rouvrit aussitôt. Chez Jonathan, Tigris aboyait de toutes ses forces.

Jonathan descendait les marches une par une. Lors de leur emménagement rue de la Fontaine-Verte, quelques mois plus tôt, il se souvenait avoir sorti d'un sac une boîte à bijoux jaune. La boîte à bijoux de sa mère. Son père lui avait interdit de l'ouvrir.

Au rez-de-chaussée, il sentit le parfum de fleur de citron qui flottait toujours dans l'air. Il s'arrêta pour s'assurer que personne ne l'avait entendu descendre. Tigris avait cessé d'aboyer : Lupus jouait avec lui dans la chambre. Son père étudiait la Torah[1] dans son bureau, il avait tiré les rideaux. Miriam était dans la cuisine à préparer le repas de fête prévu pour le soir.

Jonathan ôta ses sandales et les posa au pied de l'escalier. Il enviait Flavia qui ne se sentait jamais coupable de désobéir à son père.

Il prit une grande inspiration et avança. Il devait passer devant la cuisine. Heureusement, Miriam, occupée à ses fourneaux, lui tournait le dos. Elle chantonnait en hébreu[2].

Jonathan se glissa dans la réserve et laissa la porte entrouverte de façon à laisser passer un rai de lumière.

Avec précaution, il se fraya un chemin entre les amphores de vin, de fruits secs et de céréales. Dans le coin le plus sombre, il aperçut les étagères. La

---

1. Mot hébreu qui signifie « loi ». Ce mot fait aussi bien référence aux cinq premiers livres de la Bible qu'à l'Ancien Testament dans son entier.
2. Langue sacrée de l'Ancien Testament, parlée par les juifs religieux.

boîte à bijoux était dessus. Il était juste assez grand pour l'atteindre.

Son couvercle de bois était joliment bombé. Recouverte d'une résine jaune pâle, elle était décorée de petits points bleus et rouges. Jonathan l'examina un instant avant de trouver le fermoir. Il l'ouvrit doucement et découvrit quelques bijoux et un minuscule papyrus fermé par un lien jaune.

Le cœur de Jonathan battait la chamade. Il devait savoir pourquoi sa mère n'avait pas fui Jérusalem avec eux. Il était convaincu que c'était sa faute et que c'était pour ça que son père refusait de lui donner la véritable explication.

Jonathan regarda d'abord les bijoux : un collier d'argent avec une pierre de jaspe, des bagues de pouce en argent, un anneau de nez et une bague à sceller[1].

La pierre était orange, de la même couleur qu'un abricot séché. Une colombe y était gravée. Jonathan l'enfila à son petit doigt puis prit le papyrus. Il était composé de plusieurs feuilles roulées ensemble. Jonathan sortit celle du milieu sans dénouer la cordelette.

La feuille était jaunie par le temps. Elle devait avoir été écrite plus de dix ans auparavant. Quinze peut-être.

« *Ton amour me grise plus que le vin,* lut Jonathan en hébreu, *et ton parfum m'enchante plus*

---

1. Bague portant un sceau, utilisée pour sceller la correspondance.

que les épices. Tu n'as levé les yeux qu'une fois vers moi, Susannah, et je suis tombé follement amoureux de toi. »

Pas de signature. Mais Jonathan avait deviné que ces mots avaient été tracés par son père et destinés à sa mère.

Les joues de Jonathan s'empourprèrent. Il lui était difficile d'imaginer son père en jeune homme amoureux. Jonathan jeta un œil sur les autres papyrus ; c'étaient tous des lettres d'amour. Il ne trouverait rien ici. Rien en tout cas expliquant les raisons pour lesquelles sa mère n'avait pas fui Jérusalem avec eux. À quoi s'attendait-il ? Il se sentait profondément déçu.

Il roula les papyrus et les glissa dans la cordelette. Il les porta à son nez. L'odeur était presque imperceptible mais il ne pouvait pas se tromper. Fleur de citronnier.

– Mère, murmura-t-il, pourquoi nous as-tu laissés partir ? Qu'avais-je fait de mal ?

Il s'apprêtait à remettre la boîte sur l'étagère quand il se rappela la bague qu'il avait enfilée. Il tenta de l'enlever ; en vain. Ses doigts étaient collants de sueur. Tant pis, il passerait ses mains sous l'eau de la fontaine et utiliserait une goutte d'huile d'olive. Jonathan sortit de la réserve et referma la porte silencieusement. Puis il s'arrêta. Il avait entendu des voix masculines. Son père était pourtant seul dans son bureau.

Il s'approcha du rideau et glissa un coup d'œil. Mordecaï était effectivement là, assis sur le divan. Il tenait sa tête dans ses mains.

– Oui, elle est morte, disait-il en hébreu. Et c'est ma faute. J'aurais dû l'obliger à nous suivre.

– Non, lui répondit une voix grave. Elle a décidé de rester en son âme et conscience. À cause de Jonathan. Tu n'y pouvais rien.

Le cœur de Jonathan battit plus fort : « À cause de Jonathan. » Sa mère était donc bien morte par sa faute. Mais qui était cet homme ? Jonathan se pencha pour mieux voir.

Dans le jardin, une abeille butinait et Miriam chantonnait dans la cuisine.

L'homme assis près de son père avait une barbe noire et des cheveux frisés qui lui tombaient sur les épaules.

Le sang de Jonathan se glaça.

Simon.

Cet homme était Simon l'assassin.

Jonathan hurla.

ROULEAU IV

Au secours ! À l'assassin !

– Jonathan tira les rideaux et fit irruption dans le bureau. L'homme se leva mais, avant qu'il ait eu le temps de fuir ou de sortir une arme, Jonathan se jeta sur lui, la tête en avant.

– Ouffff !

L'homme s'écroula sur le sol.

– Vite, Père !

Jonathan regarda autour de lui à la recherche d'un objet lourd.

– Assomme-le, avant qu'il ne revienne à lui.

– Tout va bien, Jonathan, cria Mordecaï en hébreu. Il ne nous fera pas de mal.

L'homme aux cheveux longs reprenait son souffle.

– Simon, comment te sens-tu ?

Mordecaï se pencha vers l'inconnu pour l'aider à se relever. Son châle de prière glissa de ses épaules. L'homme secoua la tête et fixa Jonathan de ses yeux bleus rieurs.

À cet instant, Lupus et Tigris entrèrent à leur tour. Lupus brandissait le sabre de Mordecaï.

– Arrête, s'exclama Mordecaï, en latin cette fois, c'est l'oncle de Jonathan.

Lupus se pétrifia.

Mais Tigris ne comprenait pas le latin. Pour lui, son maître courait un danger : avec un grognement féroce, il bondit sur l'homme et lui enfonça ses crocs dans la cheville.

– Simon est ton oncle ?

Flavia n'en revenait pas.

Ils étaient tous réunis pour le dîner. Jonathan se lavait les mains.

– Pourquoi ne nous l'as-tu pas dit ? demanda Flavia.

– Nous ne le savions pas nous-mêmes, répondit Miriam en versant de l'eau sur les mains de Nubia. Il est arrivé ce matin pendant que nous prenions nos cours chez toi. Il était en train de dormir dans la chambre de Père quand les soldats ont frappé. Le nom de Simon ne m'a rien dit, je l'ai toujours appelé oncle Simi.

– Et moi, j'étais un bébé la dernière fois que je l'ai vu.

– Ça veut dire que ton père a menti à Bato ?

– Il avait une bonne raison. Oncle Simi est chargé d'une importante mission qui doit rester secrète.

Les yeux écarquillés, Flavia chuchota :

– Mais Bato nous a assuré que c'était un…

– … un assassin ?

Simon venait d'entrer dans la salle à manger, à la suite de Mordecaï.

Flavia acquiesça timidement.

– Flavia, annonça Jonathan, je te présente mon oncle Simon. Simon, je te présente mes amies, Flavia et Nubia.

Simon adressa un signe de tête aux jeunes filles et s'assit en tailleur près de Jonathan, sur un coussin brodé.

Plutôt que de s'allonger pour manger, Jonathan et sa famille préféraient s'asseoir par terre.

– Alors, demanda Nubia, c'est vrai que vous êtes un sassassin ?

– Je suis un messager, rectifia Simon. J'ai d'importantes informations pour l'empereur Titus*.

Il tendit ses mains au-dessus du récipient de cuivre pour que Miriam puisse lui verser de l'eau sur les mains.

– Mais tu es juif, comme nous, s'étonna Jonathan. Est-ce que tu ne détestes pas Titus pour avoir détruit Jérusalem ? Père m'a dit que… je veux dire… Tu étais à Jérusalem lorsqu'elle a été détruite ?

– Oui, acquiesça Simon. J'y étais.

– Vous pouvez nous raconter ce qui s'est passé ? demanda Flavia.

– J'avais dix-neuf ans quand Titus a mis Jérusalem à sac, commença Simon.

Les chandelles avaient été allumées et Mordecaï avait récité les prières. Miriam faisait passer l'entrée – des œufs durs – et Lupus remplissait les coupes de vin coupé d'eau.

Nubia fronça les sourcils.

– Comment Titus a-t-il mis Jérusalem à sac ?

– Je suppose que tu veux dire « pourquoi ? », dit Mordecaï. Jérusalem et Rome sont depuis toujours ennemies, principalement pour des raisons de religion.

– Mais comment ? insista Nubia. Titus ne m'a pas paru si fort.

Elle l'avait vu deux semaines auparavant au camp de réfugiés de Stabia.

– Il n'était pas seul, Nubia. Il commandait quatre légions.

Simon trempa son œuf dans un mélange de sel et de coriandre moulue. Il le porta à ses narines avant de mordre dedans.

– Légions, répéta-t-il, cinq mille cinq cents soldats par légion et autant d'hommes pour l'intendance. Près de cinquante mille hommes en tout.

– Oh.

Nubia hocha la tête.

– Mais qu'est-ce qu'il a fait avec le sac ?

Simon esquissa un sourire.

– Mettre une ville à sac signifie tuer ceux qui la défendent, briser tous les objets de valeur et mettre en esclavage le reste de la population.

– Oh, répéta Nubia, vous deviez avoir peur.

– C'était terrifiant. Il y a eu une famine. Plus rien à manger, expliqua-t-il en baissant les paupières.

Il avait des cils fournis et quelque chose d'attendrissant dans le visage. Il rappelait à Nubia un chiot triste et elle eut soudain envie de lui caresser le haut du crâne.

Simon continua :

– Il aurait dû y avoir assez de nourriture pour dix ans, mais certains de nos compatriotes détruisirent eux-mêmes les réserves, espérant que cela nous forcerait à sortir de la ville pour affronter directement les Romains. Ce plan échoua. En quelques semaines, il n'y eut plus un grain de céréale. Nous avons commencé à manger les chevaux et les mules et puis les chiens. Finalement, nous nous sommes rabattus sur les sandales, les ceintures et même les rats.

Nubia frissonna et Flavia reposa l'œuf qu'elle avait entamé.

– Quand Titus et ses légions sont entrés dans Jérusalem, ils n'ont pas eu besoin de se battre, reprit Simon. Les soldats tuèrent les plus faibles et les vieux. Ils emprisonnèrent les autres. Certains furent jetés aux lions. Quelques-uns servirent à la parade triomphale de Titus. Ils défilèrent puis furent exécutés. J'ai été pour ma part, comme beaucoup, envoyé comme esclave pour travailler à l'isthme de Néron.

– C'est quoi, un isthme ? demanda Nubia.

– C'est un profond canal qui rejoint deux mers entre elles. Cela permet aux bateaux d'économiser de longues journées de voyage.

– Pater passe tout le temps par l'isthme de Corinthe, dit Flavia. Notre tuteur, Aristo, vient de Corinthe. Vous le connaissez ?

Simon secoua la tête.

– Nous autres juifs avions notre propre campement à l'extérieur de Corinthe. Nous y avons passé tant d'années que c'est presque une ville à présent.

Miriam se leva.

– Je vais chercher le ragoût. Lupus, peux-tu apporter le pain ?

Miriam et Lupus sortirent de la salle à manger et revinrent aussitôt. Miriam posa un grand plat de céramique sur la table.

– Gibier, lentilles et abricots, commenta-t-elle, avec du miel et du cumin. C'est ce que préfère Jonathan. Tigris, du calme ou je demanderai à Jonathan de t'enfermer dans la réserve.

Chacun se coupa un morceau de pain et l'utilisa pour manger directement dans le plat.

– C'est merveilleux, déclara Simon.

Il ferma les yeux.

–Depuis cette terrible famine à Jérusalem, le moindre morceau de pain me semble un don du ciel, mais ce plat est sublime.

Tout le monde semblait de son avis. Mais Jonathan avait à peine touché à la nourriture.

–Oncle Simon, dit-il soudain. Pourquoi es-tu resté à Jérusalem ? Pourquoi n'as-tu pas fui avec nous ?

–J'étais un zélote, un combattant de la liberté, répondit Simon. J'étais jeune et je voulais vaincre les Romains. Nous traitions de lâches ceux qui fuyaient, mais aujourd'hui, je le regrette… Tu avais raison, Mordecaï. Dans les jours qui ont suivi, je me suis maudit à plusieurs reprises pour ne pas t'avoir écouté.

Mordecaï resta silencieux.

Jonathan donna à Tigris un morceau de viande.

–Est-ce que ma mère était avec toi à Jérusalem ?

–Oui, bien sûr. Susannah était ma petite sœur.

–Que lui est-il arrivé ? Après l'entrée des légions romaines ?

–Je ne sais pas. Les hommes et les femmes ont été séparés. Je ne l'ai plus jamais revue.

–Pourquoi ne nous a-t-elle pas accompagnés ? Pourquoi a-t-elle choisi de rester ?

–Jonathan ! l'interrompit Mordecaï. S'il te plaît, changeons de sujet. Je t'ai déjà expliqué pourquoi.

Jonathan se tut, blessé. Il baissa la tête et caressa Tigris. Soudain, le chien dressa les oreilles et aboya. Puis quelqu'un frappa à la porte.

– Cache-toi, Simon, souffla Mordecaï. Peut-être est-ce le magistrat.

C'est Gaïus, Père.

– Miriam revint. La main dans la main avec un homme aux cheveux clairs.

– Lupus, demanda Mordecaï, va prévenir Simon qu'il peut revenir.

– Tu as trouvé une maison, oncle Gaïus ? s'enquit Flavia.

Gaïus secoua la tête. Malgré son nez cassé et la cicatrice qui barrait sa pommette, Flavia le trouvait très séduisant.

– Désolé, Jonathan, sourit-il, je suis en retard pour le dîner. Bon anniversaire !

Il tendit au jeune garçon un carré de bois à rayures rouges et bleues.

– Ce n'est qu'une tablette de cire, expliqua-t-il, mais j'ai pensé que tu aimerais les rayures.

– J'adore, merci… c'est très… utile…

– Jonathan ! s'exclama Flavia. Tu t'es blessé ?

Le petit doigt de sa main droite était enveloppé dans un linge.

Jonathan rougit et glissa la main sous la table.

– Ce n'est rien.

Mordecaï regarda son fils mais à ce moment, Lupus et Simon refirent leur apparition dans la salle à manger.

– Gaïus, dit Miriam, je te présente mon oncle Simon.

Gaïus se lava les mains et chacun se rassit.

– Elle te va très bien, murmura Gaïus à Miriam.

Elle rougit.

– Il parle de ma nouvelle tenue, expliqua-t-elle. C'est lui qui me l'a offerte.

Elle portait une tunique de lin blanc ornée d'un liseré doré aux manches.

Simon observa sa nièce.

– Tu es devenue une belle jeune femme, comme ta mère. Vous avez beaucoup de chance, ajouta-t-il à l'adresse de Gaïus.

– Je sais, répondit l'oncle de Flavia sans quitter sa fiancée des yeux.

– Avez-vous déjà décidé d'une date pour le mariage ? demanda Simon.

– Je veux d'abord trouver une maison… D'ailleurs… Flavia, je dois retourner à Stabia demain, j'ai quelques affaires en cours avec Felix et je veux voir s'il est possible de reconstruire la ferme.

Flavia et Nubia échangèrent un regard entendu. Elles avaient toutes deux vu les restes de la ferme de Gaïus ensevelie sous la cendre.

Lupus émit un grognement et leva la main.

– Que veux-tu, Lupus ? lui demanda Flavia.

Le garçon posa un doigt sur ses lèvres et écarquilla les yeux.

Tout le monde se tut. Un gémissement venait de la mer. Puis il y eut plusieurs cris brefs et une nouvelle plainte.

– Ça me donne la chair de poule, chuchota Flavia. Qu'est-ce que c'est ?

– On dirait une corne d'appel, dit Nubia.

– C'est le shofar[1], expliqua Miriam. C'est une corne de bélier évidée dans laquelle on souffle. Ce qui signifie qu'il est l'heure de manger le dessert !

Elle regarda le ciel.

– Voilà les trois étoiles. Le premier jour de l'année a commencé.

Elle sortit en lançant un sourire radieux à Gaïus.

La corne sonna encore. Une note longue, neuf courtes et une longue de nouveau.

– Ça vient de la synagogue, remarqua Flavia.

– C'est la fête pour la nouvelle année, précisa Mordecaï. Nous appelons ce jour le « jour des trompes ».

Flavia fronça les sourcils.

– Je croyais que vous étiez chrétiens*.

– C'est vrai, répondit Mordecaï, mais nous n'avons pas abandonné nos rites et nos coutumes.

---

1. Trompette fabriquée dans une corne évidée. On l'utilise pour annoncer le premier jour de l'année.

Notre seule différence est que nous croyons en un prophète juif que nous appelons le messie[1].

Miriam revint, chargée d'un plateau.

– Pommes au miel, annonça-t-elle. Repas de fête. Bonne année à tous.

– Bonne année !

Une brise douce se leva, le shofar se fit entendre de nouveau.

– À quoi ça sert de sonner de la corne ? demanda Flavia.

– À attirer notre attention, sourit Mordecaï. Pour nous rappeler que nous avons droit à un nouveau départ. Que nos péchés sont effacés.

Nubia le regarda.

– Péchés ?

– Oui, reprit Mordecaï. Toutes les mauvaises choses que nous avons pu faire dans l'année. Nous y repensons et nous nous en repentons pendant les dix premiers jours de l'année, que nous appelons les « jours de repentance ». Puis arrive notre jour le plus sacré, le jour du Yom Kippour[2]. Le Grand Pardon. Nous devons alors prier pour demander pardon à Dieu et pardonner à nos ennemis.

– Je suis désolé de vous avoir fait peur, dit soudain Simon. Me pardonnez-vous ?

Sans lever la tête, Jonathan haussa les épaules.

1. Mot hébreu qui signifie « Christ ». Ces deux mots signifient « l'élu ».
2. Jour du Grand Pardon chez les juifs. Durant vingt-quatre heures, les juifs demandent à Dieu de leur pardonner leurs péchés de l'année écoulée.

Mordecaï fronça les sourcils devant l'impolitesse de son fils et dit :

– Bien sûr, Simon, que nous te pardonnons.

Simon sourit, prit une pomme, la trempa dans le miel et la croqua.

– Quelqu'un veut-il demander pardon ? proposa Mordecaï. Jonathan ?

– Pourquoi moi ? lança le garçon. Et Lupus ? Il a des tas de trucs à se faire pardonner.

Lupus avait sursauté. Il fixa Jonathan, se leva lentement et prit sa tablette de cire. Il écrivit et la jeta sur la table si violemment qu'une coupe de vin se renversa. Puis il sortit en courant du triclinium. La porte du jardin claqua.

Miriam éclata en sanglots. Une tache de vin s'élargissait sur sa tunique blanche.

Jonathan se leva à son tour et quitta la pièce à grands pas. Il monta les marches quatre à quatre. Flavia se dirigea vers la porte du jardin, la rouvrit et appela :

– Lupus, reviens !

Aucune réponse. Elle retourna auprès de ses amis.

– Il fait trop sombre. Je ne sais même pas quelle direction il a prise. Devons-nous prendre des torches et partir à sa recherche ?

– Non, répondit Mordecaï. Tu sais comment est Lupus quand il se met en colère. Il réapparaît quand il va mieux.

Gaïus consolait Miriam tandis que Nubia essayait de nettoyer la tache sur la tunique. Simon prit la tablette de cire que Lupus avait jetée.

Il lut et la tendit à Flavia. Elle prononça à voix haute :

– *C'est Dieu qui devrait demander pardon pour ce qu'il m'a fait.*

Lupus courait à perdre haleine. Des larmes brûlantes coulaient sur ses joues. Il n'avait pas de sandales et les pierres du chemin lui blessaient les pieds. Quelques mois dans la maison de Jonathan avaient suffi à leur redonner leur sensibilité.

Il pénétra dans le bois de pins. La lumière de la lune était trop faible, il ne voyait pas plus loin que le bout de son nez. Il arrêta de courir. Les troncs ressemblaient à une armée, il essayait de les éviter. Du coup, il ne vit pas le danger.

Flavia gratta doucement au mur de la chambre de Jonathan. Il n'y eut pas de réponse. Elle entrouvrit le rideau et entra.

À la lumière de sa lampe à huile, elle vit Jonathan allongé sur son lit. Il lui tournait le dos.

– Jonathan ? murmura-t-elle.

Silence.

– Jonathan, qu'est-ce qui t'arrive ? Tu as bouleversé Lupus, ainsi que ton père et ta sœur. Ça ne te ressemble pas.

– Oui, j'ai tout gâché.

Flavia posa sa lampe sur une table et s'assit près de lui. Tigris la regarda par-dessus l'épaule de Jonathan et battit de la queue.

– C'est ma faute si Lupus est parti, reprit Jonathan. C'est ma faute si la nouvelle tunique de Miriam est fichue. J'ai insulté notre invité et inquiété mon père.

– Tout n'est pas si noir, tenta Flavia, Lupus n'avait pas à réagir de cette manière. Et tu sais que ton père t'aime malgré tout.

– Non. Il me déteste.

– Qu'est-ce que tu racontes ?

Jonathan se tourna pour regarder son amie.

– Il me déteste parce que ma mère est morte à cause de moi.

Empêtré dans un filet, Lupus se balançait la tête en bas dans la forêt. Il avait marché sur un piège à ours. Il respira profondément avant d'essayer de récupérer un peu de mobilité.

Dans la caverne du Cyclope, Pénélope était assise devant son ouvrage. Une fontaine chantonnait non loin de là. Jonathan entra dans la caverne et Pénélope se tourna vers lui.

Il faisait sombre mais il vit qu'elle était très belle. Sa peau était blanche, ses yeux bleu foncé, ses cheveux noirs et brillants. Elle ressemblait à Miriam.

–J'ai travaillé toute la journée, dit-elle. Maintenant, je défais ma tapisserie. Je l'attends chaque jour.

Jonathan avait peur que le Cyclope ne revienne, mais il avança vers elle. Elle lui tendit une poignée de laine jaune.

–Sens. C'est l'odeur que je préfère.

Une odeur de citron emplit la caverne.

–Mère, dit Jonathan. Est-ce toi ? Tu es en vie ?

Elle sourit et acquiesça.

Jonathan se réveilla.

En revenant des latrines, Jonathan remarqua une petite lumière dans la chambre d'amis.

– Lupus ? murmura-t-il en glissant la tête à l'intérieur.

– Non, répondit Simon. C'est moi.

Il était assis sur le bord de son lit. La lueur vacillante de sa lampe à huile faisait onduler son ombre sur le mur.

– Qu'est-ce que tu fais ? demanda Jonathan.

Son oncle avait un couteau de cuisine dans une main et une touffe de cheveux frisés dans l'autre.

– Je me coupe les cheveux.

Jonathan entra dans la chambre.

– Oncle Simon, parle-moi de ma mère. J'ai besoin de savoir.

La lame brilla dans la lumière. Une nouvelle mèche de cheveux tomba sur ses genoux.

– Certains considèrent qu'un homme ne doit pas avoir les cheveux longs. Mais quand j'étais zélote, c'était une marque de bravoure.

– Oncle Simon, insista Jonathan, j'ai rêvé que ma mère était en vie.

Simon posa son couteau.

– Quoi ?

– J'ai rêvé qu'elle faisait de la tapisserie dans une caverne. Dans mon rêve, elle disait qu'elle n'était pas morte.

– Mon Dieu, soupira Simon.

Il était devenu blanc comme un linge.

– Quoi ? Qu'est-ce qu'il y a ? s'inquiéta Jonathan.

Simon le regarda droit dans les yeux. La lumière de la lampe rendait son visage semblable à un masque.

– Comme tu le sais, Jonathan, je vais à Rome. Je dois rencontrer l'empereur. Je ne suis passé par Ostia que pour rendre visite à ton père et aussi… pour lui donner une information primordiale. Mais il n'est pas prêt à l'entendre. Peut-être…

Simon posa le couteau sur la table.

– Peut-être que tu l'es. Peux-tu croire une chose invraisemblable ?

– Oui, affirma Jonathan. Raconte-moi.

Le lendemain, au lever du jour, le ciel était presque blanc.

Gaïus mit son sac sur son épaule.

– Il va faire chaud toute la journée, observa-t-il.

Il ouvrit la porte d'entrée.

– Tu ne dis pas au revoir à Miriam ? demanda Flavia.

Gaïus secoua la tête.

– Ce n'est pas un jour comme les autres pour eux. Nous nous sommes embrassés hier soir.

Gaïus fit un signe de tête et partit d'un bon pas vers le port. Son chien Ferox trottinait près de lui.

Les jeunes filles le regardèrent s'éloigner et refermèrent la porte. Cette première journée de l'année juive était un jour de repos pour Jonathan et sa famille, les leçons avaient donc été annulées. Leur tuteur, Aristo, en avait profité pour partir à la chasse avec quelques amis.

Assises à l'ombre dans le jardin, Flavia et Nubia passèrent la plus grande partie de la matinée à lire l'*Odyssée*[1] en latin. Elles en étaient au retour d'Ulysse quand Caudex, l'esclave de porte, fit entrer Miriam dans le jardin. Ses yeux étaient rouges et elle tenait Tigris serré contre elle.

– Jonathan a disparu, sanglota-t-elle. Simon est parti. Lupus n'a pas réapparu… et Père a été arrêté.

– Bois, Miriam, dit Flavia, et raconte-nous ce qui s'est passé.

---

1. Grand poème épique écrit par Homère, racontant le retour d'Ulysse chez lui.

Miriam était assise sur le banc de marbre entre Flavia et Nubia. Scuto et les chiots s'étaient couchés sous le massif de jasmin.

– Juste avant le lever du soleil, j'ai accompagné Père au chevet d'une femme qui accouchait, expliqua Miriam. Nous avons réussi à la sauver mais son bébé est mort.

La jeune femme but une gorgée d'orgeat.

– J'ai toujours autant de mal à le supporter.

Flavia serra la main de Miriam.

– Quand nous sommes revenus, la maison était vide.

– Jonathan est peut-être parti à la recherche de Lupus, suggéra Nubia.

– Non, je ne crois pas, il aurait emmené Tigris.

– Jonathan se comporte bizarrement, fit remarquer Flavia. Hier soir, il m'a affirmé que ton père le détestait et que ta mère était morte par sa faute.

– C'est faux ! Père l'adore !

– Je sais, dit Flavia. Mais c'est ce qu'il ressent. S'est-il passé quelque chose après notre départ ?

– La nuit dernière, répondit lentement Miriam, j'ai été réveillée par un cri. C'était la voix de Jonathan. Il avait dû faire un cauchemar. Au moment où j'allais me rendormir, je l'ai entendu discuter avec quelqu'un.

– Qui ?

– Ce n'était pas Père. Ce devait donc être oncle Simi.

– Tu as entendu ce qu'ils disaient ?

– Non. J'ai peut-être seulement rêvé.

Flavia s'éventa de la main.

– Ce n'est pas le genre de Jonathan de s'enfuir de cette façon. Tu es sûre qu'il n'a pas laissé de message ?

Miriam secoua la tête.

– Père et moi étions en train de le chercher quand le magistrat Bato a frappé. Il semblait très en colère. Deux soldats l'accompagnaient. Ils ont fouillé la maison et…

– Quoi ? s'inquiéta Flavia. Qu'ont-ils trouvé ?

– Des mèches de cheveux frisés dans la cuisine. Oncle Simi a dû se couper les cheveux avant de partir et il a essayé de les brûler, mais tout n'a pas été réduit en cendres. Bato a considéré que c'étaient des preuves. Il a arrêté Père.

– Par Pollux, murmura Flavia.

Elle se leva et marcha jusqu'à la fontaine.

– Peut-être… commença-t-elle, peut-être que Simon et Jonathan sont partis se cacher en voyant les soldats arriver. Allons jeter un coup d'œil chez toi, Miriam.

– Il faut sauver Père, protesta Miriam d'une voix hystérique. Il est peut-être torturé en ce moment même.

– Ne t'inquiète pas, la rassura Flavia. Je crois qu'ils ne torturent que les esclaves. Et puis, nous ne pouvons rien faire. Ils n'écouteraient jamais des filles. Si au moins, oncle Gaïus était là…

– Il ne reviendra pas avant une semaine, dit Miriam.

Flavia acquiesça :

– Je sais. Et Aristo ? Miriam, tu devrais l'attendre ici. Peut-être ne reviendra-t-il pas trop tard de la chasse. Si c'est le cas, raconte-lui tout et demande-lui de se rendre au forum[1] pour prendre des renseignements sur ton père. Nubia et moi allons chercher chez toi, pour trouver un message de Jonathan.

– J'ai peur de rester toute seule, dit Miriam d'une toute petite voix.

– Alma et Caudex sont là. Les chiens aussi. Tiens, regarde, voilà Alma. Elle va s'occuper de toi, promit Flavia.

Flavia découvrit la tablette de cire de Jonathan ouverte sur le bureau de Mordecaï. Le rayon de soleil qui inondait la pièce avait fait fondre la cire. Seule la première moitié du message était lisible. Et il était écrit en hébreu.

Quelques minutes plus tard, chez Flavia, Miriam se penchait sur la tablette. Elle tendit la main pour la prendre mais Flavia la mit en garde :

– Ne la touche pas, la cire a fondu. Si tu la bouges, tout va s'effacer.

1. Place du marché, dans les villes romaines. C'est aussi un lieu de rencontre.

Miriam se pencha en avant.

– ... *parti pour Rome. S'il vous plaît...* je ne vois rien d'autre...

– Rien du tout ? insista Flavia. Pas même un mot ?

– Si, peut-être « Simon », mais je ne suis pas sûre.

Flavia commença à faire les cent pas dans le péristyle[1].

– Pourquoi Jonathan serait-il allé à Rome ? Et qu'est-ce que ça a à voir avec Simon ?

Soudain, elle s'immobilisa.

– Peut-être que Simon est réellement un assassin et qu'il veut du mal à ton père. Et s'il avait kidnappé Jonathan et qu'il l'ait forcé à écrire ce message ? Ou convaincu de l'accompagner ?

Malgré la chaleur, Flavia frissonna.

– Si Simon est un simple messager comme il nous l'a assuré, pourquoi aurait-il besoin de Jonathan ? Oh, par Pollux ! Quel mystère !

Elle quitta l'ombre du péristyle pour s'approcher de la fontaine. Elle se pencha et but une longue gorgée d'eau. Elle s'essuya la bouche et marmonna :

– Un plan, il me faut un plan ! Nous devons retrouver Jonathan !

Elle se tourna vers Nubia et demanda :

– Nubia, que dirais-tu d'aller visiter la Cité éternelle ?

---

1. Rangée de colonnes autour du jardin ou de la cour.

ROULEAU VII

Près de la porte de Rome à Ostia, les conducteurs de char avaient leurs habitudes. Ils pouvaient désaltérer leurs mules à l'ombre des pins parasols et profiter de l'autel dédié au dieu Mercure ainsi que d'une table et de nombreux bancs.

Non loin, une taverne leur était réservée, ainsi que des thermes.

Il était presque midi et seulement deux conducteurs étaient assis. Ils jouaient aux osselets et regardaient les passants. Au-dessus d'eux, dans les plus hautes branches des pins, les cigales chantaient. La chaleur était intense ; même à l'ombre, les hommes étaient trempés de sueur.

– Il fait bien chaud pour cette époque de l'année, dit l'homme chauve à son compagnon, les ides de septembre sont pourtant passées.

– C'est à cause de la montagne, rétorqua l'autre dont la tunique courte laissait apparaître des mollets poilus. L'éruption a détraqué le temps. T'as remarqué les couchers de soleil ?

– Pour sûr, répondit le chauve en prenant sa coupe de vin. Et ce matin, le ciel était blanc. Ça va être une sale année pour la récolte. Y aura la sécheresse.

– Dommage pour le vin, grimaça l'autre.

Le chauve but une gorgée et grimaça à son tour.

– De toute façon, ça peut difficilement être pire que maintenant ! On dirait de la…

– Hem, l'interrompit l'homme aux jambes poilues en désignant deux jeunes filles derrière lui.

Le chauve se reprit :

– Puis-je vous aider, jeunes filles ?

– Oui, répondit poliment Flavia.

Elle était vêtue de sa tunique la plus légère et coiffée d'un chapeau de paille.

– Nous voudrions aller à Rome.

Les deux hommes se jetèrent un regard amusé.

– J'ai de l'argent, lança immédiatement Flavia en se redressant. D'après ce que l'on m'a dit, le prix est de vingt sesterces.

– Tu es bien renseignée, repartit l'homme aux mollets poilus en reprenant les osselets. Vénus ou rien, marmonna-t-il à l'intention du chauve. Mais je vous conseille de revenir demain matin, les filles. Il fera moins chaud juste après le lever du soleil.

– Nous devons partir aujourd'hui.

Flavia essayait de garder son calme.

L'homme aux jambes poilues la regarda.

– Parfois des carrioles partent en soirée, mais elles ne transportent pas de passagers, juste de la marchandise.

Flavia savait que si elle devait attendre le soir, elle aurait à demander la permission à Aristo pour partir. Et il ne la donnerait probablement pas.

– Nous devons quitter Ostia tout de suite, reprit-elle.

Mais sa détermination commençait à fléchir. Et si ce n'était pas une aussi bonne idée que de courir à Rome ? Lupus n'avait toujours pas réapparu. Miriam était seule…

L'homme chauve secoua la tête.

– Il est midi, c'est la plus mauvaise heure pour prendre la route. L'heure la plus chaude de la plus chaude journée de l'année. Il faudrait être fou pour aller vers Rome maintenant.

– Ou bien avoir un important message pour l'empereur, prononça une voix derrière eux.

Flavia et Nubia se retournèrent et virent un jeune homme vêtu de la tunique des conducteurs de carriole. Il avait des yeux verts et des cheveux courts, il ressemblait à un chat.

– Qu'est-ce que tu racontes, Feles[1] ? rit le chauve. Depuis quand livres-tu au Palatin[2] ?

1. En latin, *feles* signifie « chat ».
2. La plus verte et la plus agréable des sept collines de Rome. Le mot « palais » vient de Palatin.

Feles ne répondit pas.

– Tu es une jeune fille de bonne famille, dit-il à Flavia en souriant poliment. Je pars pour Rome à l'instant apporter un chargement de fruits exotiques qui ne peut pas attendre. Il me reste de la place, je vous emmène pour dix sesterces.

– Hum… eh bien… commença Flavia.

– Voilà qu'elle a changé d'avis, se moqua le chauve. C'est bien une fille !

Flavia le transperça du regard et se tourna vers Feles.

– Merci, j'accepte votre offre.

– Parfait, lança Feles, je suis ravi d'avoir de la compagnie. Ma carriole est juste à côté, si vous voulez me… mais qui c'est, celui-là ? s'interrompit-il en montrant Caudex qui portait un paquet dans chaque main.

– Notre garde du corps, répondit Flavia. Vous ne croyez tout de même pas que nous sommes assez inconscientes pour nous rendre à Rome toutes seules ?

– Vous êtes déjà allées à Rome ?

Flavia secoua la tête. Elle était assise près de Feles. Nubia et Caudex étaient à l'arrière à l'ombre d'une bâche.

La carriole avançait doucement sur les pavés, ils avaient dépassé le cimetière des riches puis les marais salants, bordés d'herbes folles et de papyrus. Ils atteignirent ensuite l'aqueduc de briques qui amenait de l'eau à Ostia et dépassèrent quelques fermes éparpillées, entourées de champs de melons et de choux.

Flavia jeta un coup d'œil vers Caudex et Nubia. Ils étaient appuyés contre des caisses de fruits dont Flavia avait entendu parler mais qu'elle voyait pour la première fois. Ils avaient une couleur magnifique et une odeur divine. Flavia avait demandé si elle pouvait en goûter un, mais Feles avait répondu qu'ils valaient de l'or.

– Douze caisses de quarante oranges, quatre cent quatre-vingts fruits. S'il en manque un, je me ferai fouetter.

Après un instant, il demanda :

– Tu vas aux arènes ? Assister à une ou deux courses de chars ?

Flavia secoua la tête.

– Non, on va rendre visite à de la famille.

– Profites-en pour aller voir une course, insista Feles, et va faire un tour au nouvel amphithéâtre[1]. Titus essaie de le finir pour les *Saturnalies*, mais ça m'étonnerait qu'il y arrive. Même s'il fait travailler deux mille esclaves de l'aube au coucher du soleil.

Feles déboucha une gourde d'eau et but à longs traits avant de la proposer à Flavia. Elle but à son tour et la lui rendit.

1. Stade ovale dans lequel se déroulaient les combats de gladiateurs, d'animaux sauvages.

– Donnes-en à Caudex et Nubia, dit Feles. Nous la remplirons à la taverne près de cette rangée de cyprès.

Le soleil était éblouissant. La chaleur montait de la route et les cyprès ressemblaient à de longues flammes.

– On dirait que les arbres flottent dans les airs, remarqua Nubia.

– C'est comme dans le désert, approuva Feles, n'est-ce pas, Nubia ?

– Oui, comme dans le désert.

– Comment savais-tu que Nubia venait du désert ? demanda Flavia.

– C'est évident, sourit Feles. Et puis, je suis très observateur. Je savais que tu étais d'une bonne famille juste en te voyant. Et Caudex a été gladiateur. Ça se voit à sa façon de se tenir.

– C'est vrai ! s'exclama Flavia. Est-ce que tu as entendu parler de Simon ben Jonah ?

– C'est un nom juif.

– Oui.

– Eh bien, si c'est lui que tu cherches à Rome, bon courage ! Les deux mille esclaves dont je te parlais tout à l'heure sont tous juifs. Titus les a capturés il y a une dizaine d'années, je crois.

Flavia fronça les sourcils.

– Je croyais que Titus avait envoyé les juifs à Corinthe.

– Certains oui, mais Titus a ramené les plus beaux et les plus forts à Rome avec lui. Et les plus jolies, aussi.

– Que veux-tu dire ?

– Ces femmes juives sont les plus belles du monde, expliqua Feles. Ma petite amie est juive, elle s'appelle Huldah. Elle est esclave au mont Palatin.

– Tu veux dire que des femmes de Jérusalem sont au palais de Titus ?

– Environ deux cents, précisa Feles. Toutes de grandes familles.

Il essuya ses sourcils.

– Cette chaleur ! dit-il. Comment ça va derrière ?

Caudex grogna.

– Ça va, répondit Nubia.

– On va bientôt faire une halte.

La carriole entra dans une zone d'ombre. Les mules accélérèrent le pas. Elles sentaient l'eau et l'herbe fraîche.

– Cette taverne est située à mi-chemin entre Ostia et Rome. Nous serons arrivés dans deux heures.

Plus tard, à l'ombre des cyprès, après s'être désaltérée de l'eau fraîche de la fontaine, Flavia prit Nubia à part.

– Est-ce que tu as entendu ce que Feles m'a dit ? murmura-t-elle. Beaucoup de femmes de Jérusalem se trouvent au palais de Titus. L'une d'entre elles sait peut-être comment la mère de Jonathan est morte. C'est peut-être l'information que Jonathan est allé chercher.

Après leur courte halte à la taverne, ils repartirent. Cette fois, Nubia s'assit à l'avant près de Feles.

La route montait et le phare de briques d'Ostia était devenu minuscule à l'horizon. Ils traversèrent un bois de peupliers et Ostia disparut.

– Caudex, murmura Flavia.

Les yeux de l'esclave étaient fermés. Il ne répondit pas et Flavia, appuyée contre lui, s'assoupit à son tour, bercée par les brinquebalements de la carriole.

Elle rêva qu'elle chassait avec Jonathan et Nubia, dans le cimetière près d'Ostia. Une voix l'appelait et une petite fille vêtue d'une tunique orange courait sur le mur d'enceinte de la ville en riant.

Elle reconnut Clio, leur amie de Stabia. Elle avait disparu pendant l'éruption du Vésuve et personne ne savait si elle avait survécu. Lupus devrait être avec nous, pensa Flavia dans son rêve. Où est-il ?

Lupus, toujours prisonnier du filet, pendait la tête en bas dans une chaleur étouffante. Il ne pouvait même pas chasser les mouches qui se posaient sur son nez et sa bouche. Il lui avait fallu la nuit entière pour dégager son bras de derrière son dos, mais il ne pouvait toujours pas le bouger.

Il avait crié toute la matinée et maintenant sa voix l'abandonnait. De plus, il avait peur qu'une mouche entre dans sa bouche sans langue et l'étouffe.

De toute façon, il était inutile d'appeler. Il ne lui restait plus qu'à maudire son mauvais caractère et prier pour que celui qui avait installé le piège vienne le relever bientôt.

La carriole s'arrêta. Flavia se réveilla. Sa bouche était sèche et le dessus de ses pieds, qui étaient restés au soleil, était tout rouge.

– Nous sommes arrivés, annonça Feles. La Grande Cité de Rome. Je dois attendre ici une heure ou deux parce qu'ils vérifient toutes les carrioles. Si vous voulez retrouver vos parents avant la nuit, vous devriez continuer à pied. Vous pourrez louer une litière dans la ville.

– Merci, dit Flavia en descendant, aidée de Caudex.

Elle s'étira. La route était bordée de tombes et de pins parasols. Une longue file de carrioles attendaient le soir pour obtenir l'autorisation d'entrer dans Rome. Plus loin, se dressait une porte à trois arches blanches et une pyramide de marbre presque aussi haute que les murs de la ville.

Nubia la rejoignit. Elle portait le grand chapeau de paille de Flavia et souriait.

– Tu t'es bien amusée ? lui demanda Flavia.

Nubia acquiesça.

– Feles m'a laissée conduire. Et il m'a dit que ses mules s'appelaient Pudes, Podagrosus, Barosus et Posticus.

– Tu sais ce que leur nom signifie ?

– Maintenant oui, rit Feles. Nubia, montre-nous comment Barosus marche.

Nubia ôta son chapeau et avança sur la route à tout petits pas.

– Et ça, c'est Podagrosus, continua-t-elle en faisant des pas immenses. Et Posticus.

Elle trébucha comme si elle avait trop bu.

Flavia rit.

– Merci beaucoup, dit-elle en tendant vingt sesterces à Feles.

– Je croyais que nous avions dit dix, s'étonna-t-il.

– C'était avant que vous sachiez que Caudex viendrait avec nous.

– Merci Flavia Gemina. Je ne l'oublierai pas. Si vous avez de nouveau besoin d'un conducteur de carriole, demandez-moi. Je pars de la taverne de la Chouette, près de la tombe de Cestius, dit-il en désignant la pyramide.

Flavia le remercia.

– Peut-être aurons-nous de nouveau l'occasion de nous rencontrer.

Elle s'éloignait, accompagnée de Nubia et Caudex, quand il la rappela :

– Flavia !

Il lui envoya un objet qui ressemblait à une balle.

– Une orange ! mais tu avais dit que...

– Ne t'inquiète pas. Je leur dirai qu'une ou deux étaient pourries.

– Où allons-nous dormir ? demanda Nubia.

– J'ai de la famille à Rome, répondit Flavia. Je ne l'ai pas vue depuis des siècles mais je suis sûre que mon oncle acceptera de nous recevoir.

Elle essayait d'être rassurante mais priait silencieusement pour que tout se passe bien.

Devant eux, une immense fontaine de marbre se dressait au milieu d'un carrefour encombré. Deux grandes routes menaient à l'intérieur des murs, vers les maisons rouges et orangées. La chaleur était toujours étouffante. L'odeur de crottin d'âne et de sueur humaine était presque insupportable.

Au pied du mur, attendaient des porteurs de litière. Près d'eux, trois autels : le premier dédié à Mercure, pour ceux qui cherchaient la fortune, le deuxième à Vénus pour ceux qui voulaient trouver l'amour, et le dernier à Fortuna pour la chance.

Flavia regarda son orange. Elle en avait très envie. Elle soupira et se dirigea vers les autels.

– Fortuna, déesse de la réussite, veille sur nous s'il te plaît. Aide-nous à trouver un endroit où dormir et à ne pas nous faire voler. Et aide-nous à retrouver notre ami Jonathan.

Elle posa son orange au milieu des autres offrandes, fleurs, fruits et pièces de monnaie. Elle sursauta. On tirait sur sa tunique. Un homme dégue-nillé, assis près de l'autel, la regardait. Son visage était atrocement brûlé.

– S'il vous plaît, croassa-t-il. J'ai tout perdu dans l'explosion de la montagne…

– Désolée, murmura Flavia en se dégageant.

Elle se fraya un chemin parmi un groupe de femmes qui déposaient des présents sur l'autel de Vénus.

– J'espère que nous avons assez d'argent pour une litière, souffla-t-elle à Nubia avant de se retour-ner vers Caudex. Ça ne te dérange pas de marcher à côté de la litière ?

L'esclave secoua la tête.

– J'ai été assis trop longtemps, ça va me faire du bien de me dégourdir les jambes.

– Je croyais que tu devais rencontrer l'empereur au plus vite, lança Jonathan.

– Oui, mais je dois rester prudent, répondit Simon.

Il inspecta la chambre.

– Ça fera l'affaire. Tu m'attends ici. Je reviens dès que possible.

Jonathan se retrouva seul dans la petite chambre. Elle était sombre et étouffante. Le bruit de

la rue parvenait jusqu'à lui. Il alla vers la fenê
l'ouvrit dans un grincement. La rue était inond___
soleil de l'après-midi. Il regarda les vendeurs de rue,
les écouta interpeller les clients.

Il avait l'impression que les maisons de briques
amplifiaient tous les sons, l'eau de la fontaine, les cli-
quètements des pièces de monnaie. Jonathan se
pencha, la main en visière. Il aperçut Simon qui
déambulait tranquillement dans la foule. Son oncle
s'arrêta, discuta avec un vendeur, repartit, puis disparut.

Jonathan referma le volet et s'allongea sur une
des paillasses. Elle n'était pas très confortable mais il
avait grand besoin de repos.

Les mots de son oncle Simon lui revenaient
sans cesse en mémoire. Sa mère était peut-être en
vie ! Jonathan avait supplié son oncle de l'emmener
à Rome mais il avait refusé. Jonathan n'avait pas
réussi à fermer l'œil de la nuit et, quand il avait
entendu Miriam et son père partir, il s'était habillé
très vite. Simon saupoudrait ses cheveux de farine.

– Pourquoi fais-tu ça ? lui avait-il demandé.

– Pour faire croire que mes cheveux sont gris.

– Laisse-moi t'accompagner.

– Non. C'est trop dangereux.

– Et mon rêve, Simon ? Je dois venir avec toi !

Son oncle avait hésité.

– Quel âge avais-tu quand tu es devenu zélote ?
avait insisté Jonathan.

– Tu risques ta vie.

– Ça m'est égal. Je te suivrai, même si tu ne veux pas de moi.

Simon avait soupiré.

Ils s'étaient donc fait passer pour un grand-père et son petit-fils et avaient trouvé une carriole pour Rome. Les soldats de la ville ne leur avaient même pas accordé un regard.

Voilà, à présent Jonathan était à Rome. Peut-être tout près de sa mère. Son cœur battait si fort ! Pouvait-elle vraiment être encore en vie ? Jonathan prit une grande inspiration et essaya de se rappeler le visage de la femme dans son rêve.

Quelque chose lui chatouilla le nez. Il rouvrit les yeux. Un morceau de plâtre était tombé du plafond. À l'étage au-dessus, un homme et une femme se disputaient à grands cris.

Jonathan eut peur. Il avait entendu dire que certains bâtiments pouvaient s'écrouler. Il ne connaissait personne dans cette ville. S'il mourait, personne ne pourrait identifier son corps.

– Reprends-toi, se murmura-t-il. Ne sois pas si pessimiste.

Mais il se leva et alla se recroqueviller dans le coin le plus sombre de la pièce. Il ne pouvait s'empêcher de voir le plafond s'écrouler. Il prit son mouchoir et le posa sur son nez. En respirant le parfum de citron, il pria.

Nubia et Flavia étaient allongées dans une litière. C'était comme un divan flottant. Elles avaient d'abord fermé les rideaux mais il faisait trop chaud et le parfum bon marché de l'occupant précédent avait imprégné les coussins. Elles s'étaient installées pour regarder Rome.

Les marchands de rue commençaient à remballer leur marchandise. Certains vendaient des épices, d'autres, des objets en métal ou des poteries. Dans une rue, seuls des instruments de musique étaient proposés.

Plus la litière s'approchait du centre, plus la qualité des objets s'améliorait. Les passants étaient également mieux vêtus. Ils arrivèrent dans un quartier où les boutiques étaient luxueuses et les porches flanqués de colonnes.

Ils montèrent une colline, croisèrent une autre litière portée par quatre immenses Éthiopiens. Les rideaux étaient fermés mais une forte odeur de patchouli flotta dans l'air.

De vieux pins parasols apparaissaient derrière les murs. Les boutiques avaient laissé place à des bâtiments munis de portes à double battant, encadrés de colonnes rouge et blanc. Derrière ces portes, Nubia imaginait de magnifiques jardins intérieurs, des mosaïques, des marbres luxueux et des hommes et des femmes riches.

Elle fut soudain dépassée à l'idée de toutes ces portes, de tous ces gens, de toutes ces vies... Elle se renversa sur les coussins de la litière.

– Tu ne te sens pas bien, Nubia ? s'inquiéta Flavia.

Nubia aurait aimé expliquer à son amie à quel point les événements des derniers mois lui semblaient étranges. À chaque instant, elle pensait qu'elle allait se retrouver dans la tente de ses parents dans le désert, que sa mère allait lui apporter un bol de lait de chèvre mousseux et que ses petits frères jouaient à côté d'elle sur le tapis, que son chien bâillait en la regardant.

Mais elle manquait de mots et elle se contenta de répondre :

– Parfois, j'ai l'impression de rêver.

Flavia sourit et serra la main de Nubia dans la sienne. Puis elle tourna la tête et se frotta les yeux comme pour se débarrasser d'une poussière.

La litière ralentit et s'arrêta devant une porte bleu ciel ornée de cuivres et flanquée de deux colonnes blanches.

– Nous sommes arrivés, annonça un des porteurs. C'est la maison du sénateur Aulus Caecilius Cornix.

Flavia descendit et regarda autour d'elle. Derrière les pins parasols, descendait un grand aqueduc orangé.

– Ne partez pas avant que nous soyons dans la maison, demanda-t-elle. Je veux être sûre qu'ils sont là.

Nubia descendit à son tour.

Flavia prit une grande inspiration et frappa doucement le heurtoir contre la porte. Il était fait de cuivre et était à l'effigie d'une femme prête à croquer une pomme. Presque aussitôt, un bruit de pas se fit entendre. La petite fenêtre grillagée percée dans la porte s'ouvrit et deux yeux méfiants apparurent.

– Est-ce que madame Cynthia Caecilia est chez elle ? s'enquit Flavia d'une voix sûre.

– Qui la demande ? grogna le gardien.

– Flavia Gemina, fille de Marcus Flavius Geminus, sa nièce.

– Ils sont partis en Toscane. Ils reviendront pour les calendes[1] d'octobre. Personne ne m'a parlé d'invités. Revenez dans deux semaines.

– Non, attendez, supplia Flavia, oubliant sa dignité. Laissez-nous entrer. On n'a nulle part ailleurs où aller et il fera bientôt nuit.

---

1. Les calendes marquent le premier jour du mois dans le calendrier romain.

– Désolé.

La petite fenêtre se referma.

Flavia sentit sa gorge se serrer. Elle se tourna vers Nubia et Caudex.

– Vous allez devoir nous payer, jeune fille, dit un des porteurs. Ça fait quarante sesterces.

Flavia éclata en sanglots.

ROULEAU X

Lupus entendit un gémissement.

Il ouvrit les yeux. Mais il ne vit que les cordes du filet qui l'emprisonnait et la lumière du soleil couchant. Puis il se rendit compte que le bruit venait de sa propre gorge.

Les mouches étaient parties. Il ouvrit la bouche pour crier. En vain.

Il referma les paupières. Il allait mourir. Il n'avait que deux regrets : il ne saurait jamais si Clio était toujours en vie et il ne vengerait jamais le meurtre de son père.

Il entendit une voix. Elle prononçait son nom. Lupus rouvrit les yeux.

Le dieu qui lui donnait à boire avait des cheveux dorés. Ce devait être Mercure. Ou le Berger. L'eau coulait dans sa gorge et sur son menton. C'était merveilleux.

– Lupus, tu m'entends ? Comment es-tu arrivé là ? À quoi est-ce que tu joues ? demanda le dieu. Tu as de la chance que nous soyons passés par là. Je voulais rentrer à la maison quand Lysandre a vu passer un cerf.

Lupus se balança et tomba dans les bras du dieu qui finit de couper les cordes. Il pouvait voir son visage maintenant. Ce n'était pas un dieu, c'était Aristo, son tuteur. Il portait des lièvres morts sur son épaule, se retourna vers ses amis et leur parla grec avant de rire en découvrant ses belles dents blanches.

Flavia, les pieds dans le caniveau, sanglotait à chaudes larmes. Nubia s'accroupit près d'elle et lui posa une main sur l'épaule. Caudex, les sacs à la main, regardait bêtement le porteur de litière.

– Quarante sesterces, répéta celui-ci en jetant un coup d'œil à son collègue.

Flavia leva vers lui ses yeux rouges.

– Mais c'est deux fois le prix du voyage d'Ostia à Rome !

– Elle a raison, dit une voix derrière elle. Je vous donne dix sesterces et rien de plus. Sinon, je serai obligé de vous signaler au sénateur Cornix.

Flavia se retourna. La porte bleu ciel était ouverte et un homme souriant, vêtu d'une tunique lavande, les regardait. Il tendit des pièces de monnaie au porteur.

– Allez-vous-en maintenant, leur intima-t-il.

Il avait un accent grec, comme Aristo.

Les porteurs ne demandèrent pas leur reste.

Le jeune homme aida Flavia à se relever.

– Bienvenue, mademoiselle Flavia. Veuillez excuser Bulbus. C'est un bon gardien mais il est aussi stupide qu'un oignon.

Flavia rit et prit la main du jeune homme. Il avait des bagues à chaque doigt. Il la remit doucement sur pied.

Il n'était pas beaucoup plus grand qu'elle, mince, la peau mate, ses yeux noirs étaient soulignés de khôl[1]. Il lui plut immédiatement.

– Je m'appelle Sisyphe, se présenta-t-il. Je suis le secrétaire de votre oncle. Je suis sûr que le sénateur et sa femme offriraient l'hospitalité à leur nièce. Entrez, je vous prie.

Aristo était furieux.

Lupus ne l'avait jamais vu si fâché.

– Je les laisse quelques heures et que se passe-t-il ? criait-il.

Miriam donnait de la soupe à Lupus, qui était tellement ankylosé qu'il ne pouvait presque plus bouger.

– Celui-ci se fait prendre dans un piège à ours, Jonathan disparaît et Flavia et Nubia partent à sa recherche ! Le capitaine Geminus me considérera responsable s'il vous arrive quelque chose. Il peut me faire envoyer dans les mines de Sicile ! Ou pire ! Par Apollon !

Les yeux de Miriam se remplirent de larmes.

---

1. Poudre noire utilisée pour se maquiller les yeux.

– Je suis désolé, s'excusa aussitôt Aristo.

Il tendit la main vers elle, mais interrompit son geste. Il était toujours amoureux de la jeune fille.

– Je ne voulais pas vous faire pleurer, ajouta-t-il, penaud.

– Ce n'est pas votre faute, dit Miriam. Je m'inquiète pour Père.

– Ne vous en faites pas, la rassura Aristo en lui effleurant l'épaule. Il est trop tard, maintenant, mais demain à la première heure, je me rendrai à la basilique[1] pour prendre des nouvelles du docteur.

Il se tourna vers Lupus :

– Et si tu vas mieux, tu pourras m'accompagner.

Quand Simon revint, la petite chambre était plongée dans l'obscurité. Il portait une lampe à huile et deux grandes tranches de pain.

– Que fais-tu là, dans ce coin ? demanda-t-il à Jonathan en posant sa lampe sur la table.

– Je suis sûr qu'il n'y avait pas de fissure au plafond quand nous sommes arrivés, répondit son neveu. J'ai eu peur que tout me tombe dessus.

Simon leva les yeux.

– C'est bien possible. Mais de toute façon, on n'y peut rien. Tiens. Meurs au moins l'estomac plein.

Il jeta une tranche de pain à Jonathan qui sourit malgré lui.

---

1. Bâtiment où se trouvaient la cour de justice, les bureaux et la prison.

– C'est mieux, se réjouit Simon.

Il posa le sac qu'il portait à l'épaule sur la paillasse.

– C'est quoi ? demanda Jonathan en s'approchant.

– La clé qui nous ouvrira les portes du palais impérial.

Il dénoua le lien de son sac et en sortit un instrument de musique qui ressemblait à une lyre en plus long et plus fin.

– Je suis plus habitué à prier mais je devrais réussir à faire quelque chose.

Il gratta les cordes et produisit un son clair et agréable.

– Comment est le pain ? demanda-t-il.

– Pas mauvais, reconnut Jonathan. Il est au seigle et à l'anis. Tiens.

Il en coupa un morceau et le tendit à son oncle.

Simon grommela un merci et mangea sans cesser de gratter les cordes. Puis il enleva ses sandales, cala l'instrument entre ses pieds nus et commença à jouer réellement.

– Tu es la fille de Myrtilla ?

Flavia regarda par-dessus son bol de soupe de haricots froide et acquiesça.

– C'est bien ce que je pensais, dit Sisyphe en lui donnant une petite bouteille de grès. C'est de l'huile et du vinaigre, ça donne du goût à la soupe.

Flavia obéit.

– J'ai rencontré ta mère une fois, reprit le jeune homme. La plus jeune sœur de Cynthia. Elle s'est mariée à un capitaine, n'est-ce pas ?

– Oui.

– Ce qui explique que je ne t'ai jamais vue. Cynthia, ma maîtresse, et ton père ne se parlent plus depuis plusieurs années.

– Je crois que ma tante n'aime pas beaucoup mon père.

– Je n'ai vu ta mère qu'une fois, mais je me rappelle qu'elle était jolie. Tu as son nez et sa bouche, je crois.

– Merci. Et merci aussi de nous avoir fait entrer. Et pour le bain et la soupe. C'est délicieux.

Flavia et Nubia s'étaient lavées dans un petit bassin d'eau froide et avaient mis des vêtements propres. À présent, elles dînaient dans une cour sous une vigne, en compagnie de Sisyphe, Caudex et une esclave silencieuse nommée Niobe.

La nuit était tombée et des petits insectes voletaient autour des lampes accrochées dans la vigne.

– Et toi, tu es Nubia, l'esclave de Flavia ? se renseigna Sisyphe.

– Non, corrigea Flavia. Elle n'est plus mon esclave. Je lui ai rendu sa liberté le mois dernier. À présent, elle est mon amie.

– Bravo, s'exclama Sisyphe. Moi aussi, j'espère obtenir ma liberté un jour.

Il s'essuya délicatement la bouche en fronçant les sourcils vers Caudex qui sauçait son bol avec un morceau de pain.

– Mais dis-moi, Flavia, pourquoi as-tu entrepris ce voyage ?

– Notre ami Jonathan est juif et sa mère est morte lors de la destruction de Jérusalem. Il se croit responsable. Nous pensons qu'il a découvert que beaucoup de femmes juives…

– … vivaient au palais de Titus, termina Sisyphe.

– Exactement ! s'exclama Flavia. Je pense qu'il veut en apprendre plus sur la mort de sa mère. Mais comment sais-tu cela ?

Sisyphe haussa les épaules.

– Tout le monde le sait. Titus a offert ces esclaves à Bérénice*.

– À qui ?

– Ne me dis pas que tu n'as jamais entendu parler de la reine Bérénice ? s'étonna Sisyphe, les yeux écarquillés.

ROULEAU XI

Simon jouait. Les notes étaient si pures qu'elles faisaient vibrer Jonathan au plus profond de lui-même. Puis Simon se mit à chanter d'une voix douce et suave. Sa chanson décrivait un saule pleureur au bord d'une rivière. Jonathan ferma les paupières.

Tout était si étrange. La musique l'emmenait loin de Rome et apaisait sa peine.

La chanson se finit et Jonathan ouvrit les yeux. Son oncle le regardait en haussant les sourcils.

– Comment s'appelle cet instrument ? lui demanda brusquement Jonathan.

– C'est une lyre basse. Certains lui donnent le nom de barbiton[1]. C'est syrien. Tu aimes ?

– J'adore. Pourrais-tu m'apprendre ?

Simon sourit et Jonathan se rendit compte qu'il n'avait jamais vu son oncle sourire auparavant. Il lui manquait une dent, ce qui adoucissait son visage.

---

1. Lyre basse d'origine grecque. Il n'existe pas de preuve de l'existence de barbiton syrien.

Jonathan se mit à rire. Simon rit à son tour et lui envoya un petit tambourin.

– Essaye déjà de tenir un rythme, lança-t-il en commençant une nouvelle chanson.

– Mes enfants, l'histoire de Titus et Bérénice est très romantique.

Sisyphe s'adossa contre sa chaise et but une gorgée de vin. Une lampe éclairait une moitié de son visage, ce qui lui donnait un air dramatique.

– Bérénice est une reine juive très, très belle, commença-t-il. Elle a rencontré Titus en Judée[1]. Il était jeune et beau et elle venait de perdre son époux. Malgré leur différence d'âge – elle avait quarante ans et lui tout juste vingt-huit –, ils furent attirés l'un par l'autre et tombèrent passionnément amoureux. Le problème était qu'elle croyait en un dieu unique, elle était juive et lui était un conquérant romain qui adorait plusieurs divinités.

Sisyphe ferma les yeux.

– Je l'ai vue une fois, à Rome, il y a environ cinq ans. Elle était magnifique. Ses lèvres étaient sensuelles, ses yeux ressemblaient à des émeraudes, ses cheveux noirs étaient tressés de perles fines et sa peau plus dorée que le miel.

Il rouvrit les yeux.

---

1. Ancienne province de l'Empire romain. C'est aujourd'hui une région de l'État d'Israël.

– Il paraît qu'elle prend quotidiennement des bains de lait et d'aloès comme Cléopâtre.

– De lait ? s'étonna Caudex, qui écoutait aussi attentivement que les filles.

– Oui, de lait, acquiesça Sisyphe. Titus vivait avec Bérénice dans un palais sur le mont Palatin comme s'il était déjà empereur. Vespasien, son père, le véritable empereur, vivait dans les jardins de Salluste[1].

Il secoua la tête.

– Cette situation ne pouvait pas durer. La santé de l'empereur se dégradait et le sénat ne pouvait continuer à ignorer les amours de Titus et Bérénice.

Sisyphe se versa un nouveau verre de vin épicé.

– Et alors ? demandèrent Flavia et Nubia en chœur.

– Nous les Grecs, poursuivit Sisyphe, n'avons pas peur des femmes fortes, mais les Romains oui.

Il se pencha en avant et baissa la voix.

– Les sénateurs obligèrent Titus à choisir entre son amour et leur soutien politique.

– Et qu'a-t-il choisi ? haleta Nubia.

– C'est un Romain, soupira Sisyphe. Il a choisi le pouvoir et a demandé à Bérénice de quitter Rome.

Les jeunes filles baissèrent les épaules, déçues.

– Mais il a eu du mal à prendre cette décision. On raconte qu'il a pleuré quand elle est partie et on

---

1. L'historien Salluste (86-35 av. J.-C.) avait fait construire sur le Quirinal une somptueuse villa entourée de magnifiques jardins. L'empereur Vespasien les avait fait aménager à son intention.

raconte également qu'il lui a promis de l'épouser dès que Vespasien serait mort. Elle n'a quitté le palais qu'avec deux esclaves et une malle de vêtements et elle s'est installée à Athènes. Elle s'attendait à être rappelée rapidement.

– Combien d'esclaves possédait-elle ? demanda Flavia.

– Des centaines. Rien que des femmes juives de haute lignée. C'est Titus qui les lui avait offertes. Bérénice lui avait également fait promettre de bien traiter tous les esclaves juifs de Rome.

Flavia fronça les sourcils.

– Le conducteur de char qui nous a amenés ici nous a raconté qu'il forçait les esclaves juifs à travailler à l'amphithéâtre.

Sisyphe haussa les épaules.

– Bien sûr qu'ils travaillent, ce sont des esclaves ! Mais ils sont nourris correctement et ne vivent pas dans des endroits insalubres. Et savez-vous où vivent les esclaves de Bérénice ?

Les filles et Caudex secouèrent la tête.

– Dans la Maison dorée de Néron* !

– Oh !

Après un silence impressionné, Nubia demanda faiblement :

– C'est quoi, la Maison dorée de Néron ?

– Après le grand incendie d'il y a quinze ans, Néron a fait construire au milieu des cendres un magnifique palais. Sur trois collines s'étendaient des vignes, des bosquets et même un lac. Il avait fait de Rome sa villa, du mont Palatin son atrium et du lac son impluvium[1]. Les Romains l'ont détesté pour ça.

—Je me rappelle, s'écria Flavia. Pline en parle dans l'*Histoire naturelle*. Il raconte que le palais était fait d'or pur !

—Oui. À part les chambres qui étaient décorées d'ivoire, de marbre et de velours. Quand Vespasien est arrivé au pouvoir, il a tout détruit et fait construire l'amphithéâtre à la place. Il ne reste que la Maison dorée. Des scènes de la mythologie grecque sont peintes sur les murs, les fontaines sont serties de pierres précieuses…

—Et c'est là que vivent les esclaves juives ? demanda Flavia.

—Elles sont quelque part dans la Maison dorée mais personne ne sait exactement où.

—Est-il possible d'entrer dans cette maison ? lança Flavia en prenant une noix de cajou sur la table.

Sisyphe lui jeta un regard acéré.

—Ma chère, pour pénétrer dans ce palace, il faut être un des esclaves de l'empereur, ou un enfant d'esclave ou bien un eunuque.

Il bâilla et s'étira.

—Oh, je crois que je devrais aller me coucher, je suis épuisé. Vous aussi, je parie. Je vous montre vos

1. Bassin creusé au centre de l'atrium, pour recueillir les eaux de pluie.

chambres. Cela ne vous dérange pas, les filles, de dormir ensemble ?

Flavia secoua la tête et Nubia demanda :

– Mais où est Bérénice à présent ? Vespasien est mort, non ?

Sisyphe se leva.

– Oui, il est mort depuis trois mois.

– Alors, Bérénice est revenue vivre auprès de Titus ?

– Oui et non, sourit Sisyphe. C'est un mystère. Mais je vous raconterai cela demain.

Tôt le lendemain matin, dans le port d'Ostia, Lupus se leva, enfila sa plus belle tunique verte et gagna la fontaine. Aristo avait insisté pour que lui et Miriam dorment chez Flavia. «Je ne veux pas en perdre un autre», avait-il grommelé.

Lupus se débarbouilla à l'eau froide. Il se mouilla les cheveux et se les coiffa en arrière d'un coup de peigne. Puis il s'assit sur le banc de marbre et attendit.

Scuto et les chiots gambadaient autour de lui. Ils avaient envie que Lupus les emmène en promenade. Tigris posa son collier de cuir près de Lupus, mais le garçon l'ignora.

Quand Aristo apparut, il sourit en apercevant Lupus. Sans un mot, ils quittèrent la maison et allèrent en ville.

Au sud du forum, près du temple de Romus et Augustus, se dressait la haute basilique de brique et de marbre, entourée de colonnes. La cour de justice occupait tout le rez-de-chaussée et la prison se trouvait au sous-sol.

Plusieurs hommes vêtus de toges étaient rassemblés. Ils avaient rendez-vous avec des magistrats. Lupus et Aristo se joignirent à eux. Une heure plus tard, on les fit entrer dans le bureau du juge Bato. Un esclave leur fit monter un escalier de marbre et ils traversèrent un long couloir qui surplombait la cour de justice.

Le jeune magistrat était assis à une table couverte de papyrus et de rouleaux. Sous la table, une corbeille débordait d'autres rouleaux. Dans un coin, avait été installé un petit autel dédié à Hercule.

– Que puis-je faire pour vous ? demanda Bato sans lever la tête.

Il n'y avait pas d'autre chaise que la sienne.

– Je suis Aristo, fils de Diogène de Corinthe, tuteur et secrétaire chez Marcus Flavius Geminus, commença Aristo. Nous sommes venus prendre des nouvelles d'un ami du capitaine, le docteur Mordecaï ben Ezra.

Bato lui jeta un rapide coup d'œil.

– Le juif. Il est accusé de complot. Il a hébergé un assassin dont l'intention est de tuer l'empereur.

– Impossible, affirma Aristo. Il est docteur. Son travail est de soigner les gens. L'empereur l'a récemment félicité pour avoir aidé les victimes du Vésuve. Et Simon ne peut être un assassin, c'est le beau-frère de Mordecaï. Le frère de sa défunte femme.

– Je sais ce qu'est un beau-frère, le coupa sèchement Bato. Et vous, savez-vous ce qu'est une sica ?

Aristo fronça les sourcils.

– Une quoi ?

Bato s'appuya contre le dossier de sa chaise.

– Je suis allé chez le docteur avant-hier car je m'inquiétais pour sa vie. Je pensais que l'assassin pouvait lui en vouloir. Je ne l'ai jamais soupçonné d'avoir un lien quelconque avec l'homme que nous recherchons. Hier, nous avons reçu de nouvelles informations : trois assassins arrivaient de Corinthe. Le premier avait été repéré quatre jours plus tôt dans la région de Reghium, un autre a été aperçu débarquant d'un bateau à Puteoli. Ils sont tous juifs et veulent tuer l'empereur. Simon est l'un d'entre eux.

Lupus et Aristo échangèrent un regard.

Bato tapota la paume de sa main avec son stylet.

– Dites-moi, Aristo, fils de Diogène, avez-vous jamais entendu parler de la révolte des juifs ?

– Bien sûr, répondit Aristo. Elle a donné lieu à la destruction de Jérusalem.

– Quand la révolte des juifs a commencé, il y a environ quinze ans, acquiesça le juge, un nouveau genre de rebelles est apparu : les zélotes. Ce sont des fanatiques religieux qui refusent les règles de l'Empire romain. Ils sont armés de fines dagues qu'ils cachent dans leur ceinture ou sous leur cape. J'ai réussi à m'en procurer une.

Bato se leva et se dirigea vers une petite commode près de l'autel. Il en sortit un poignard de la taille d'une main d'homme. La lame était aussi affûtée qu'un rasoir.

– Voilà une sica ! La lame en est extrêmement coupante et la pointe acérée. Non, jeune homme, ne touche pas !

Bato enleva l'arme de la portée de Lupus et poursuivit :

– Un léger coup dans la nuque tranche les nerfs dorsaux et provoque la mort instantanée. Avant que ceux qui accompagnaient la victime ne se rendent compte de quoi que ce soit, l'assassin a disparu dans la foule.

Bato se rassit.

– Au départ, les *sicarii* ne tuaient que les traîtres juifs et les prétendus oppresseurs romains, mais ensuite, des gens ont commencé à louer leurs services pour tuer leurs ennemis. De combattants pour la liberté ils sont devenus assassins. La plupart d'entre eux sont morts lors de la destruction de Jérusalem ou pendant le siège de Masada[1], mais quelques-uns ont survécu. Leurs noms sont répertoriés et ils sont surveillés de très près. Simon est peut-être le beau-frère du docteur Mordecaï mais il est l'un d'entre eux.

1. Ville de Palestine, au bord de la mer Morte. Ce fut le dernier refuge des juifs après la chute de Jérusalem. La ville tomba aux mains des Romains en 73 apr. J.-C., après le suicide collectif de tous ses défenseurs.

ROULEAU XII

Lupus et Aristo sortirent de la basilique. Bato avait refusé de libérer Mordecaï et n'avait pas plus accepté qu'ils lui rendent visite ou lui donnent un message.

Alors qu'Aristo, perdu dans ses pensées, se dirigeait vers la rue de la Fontaine-Verte, Lupus le saisit par le bras.

– Qu'est-ce qu'il y a ?

Lupus hocha la tête et l'entraîna vers l'arrière de la basilique. Aristo le suivit en soupirant dans une étroite ruelle.

– Quelle odeur désagréable ! s'exclama-t-il. Les gens ne peuvent donc pas utiliser les latrines publiques ?

Lupus l'ignora, fit encore quelques pas et lui montra de petites ouvertures dans le mur de briques.

– Qu'est-ce que c'est ?

Lupus sortit sa tablette et griffonna :

Les fenêtres de la prison.

–Tu crois que je peux essayer d'appeler Mordecaï?

Lupus acquiesça.

–Comment le sais-tu?

Le garçon haussa les épaules. Aristo approcha sa bouche d'une des ouvertures.

–Mordecaï? M'entendez-vous? C'est Aristo.

Pas de réponse.

–Mordecaï, appela Aristo un peu plus fort.

–Aristo? répondit une voix faible. Aristo? C'est toi?

–Oui. Je suis avec Lupus. Comment allez-vous?

Il y eut un silence puis le docteur soupira:

–Ça pourrait être pire.

–Mordecaï, reprit le tuteur, nous venons de voir Bato. Est-il possible que Simon soit vraiment un assassin?

–Il y a de cela des années, raconta Mordecaï, quand Simon était jeune, il a fait partie des *sicarii*. Mais il m'a affirmé avoir arrêté et... J'ai peut-être mis ma famille en danger. Comment vont Miriam et Jonathan?

Aristo réfléchit. Il était inutile d'inquiéter le docteur.

–Ils s'inquiètent pour vous, mais ils vont bien.

–Tant mieux.

–Mordecaï, avez-vous besoin de quelque chose?

–Non... enfin, si. Si vous voyez Simon, dites-lui de se rendre aux autorités... du moins s'il est innocent.

–D'accord. Quoi d'autre ?

–J'aimerais avoir une tablette de cire et du baume égyptien pour mon compagnon de cellule, il est blessé.

Lupus tendit une de ses tablettes. Il en avait toujours deux avec lui. Aristo la prit.

–Mordecaï, nous allons vous en passer une, essayez de l'attraper.

Lupus se mit sur la pointe des pieds et poussa la tablette dans l'interstice.

–Je l'ai, merci.

–Nous vous apporterons le baume dès que possible.

–Et des bandes de lin propres, s'il vous plaît.

–D'accord. Prenez soin de vous, Mordecaï.

–Shalom[1] Aristo, shalom Lupus.

Flavia s'étira et se rappela avec joie qu'elle était à Rome. Une faible odeur de viande grillée au charbon de bois flottait dans l'air : sans doute était-ce celle des offrandes matinales.

Elle observa la cour sur laquelle donnaient sept chambres. Au beau milieu se dressait une fontaine de marbre orange. Elle y alla et se lava le visage. Nubia la rejoignit.

–Oh, vous êtes levées !

1. Mot hébreu qui signifie « paix ». Utilisé pour saluer.

Sisyphe battit des mains et s'approcha d'elles. Il portait une tunique verte et des bottines de cuir assorties.

– Allons prendre notre petit déjeuner sous la pergola[1], proposa-t-il, c'est l'endroit idéal pour mettre notre plan au point.

– Tu vas nous aider à retrouver Jonathan ? s'étonna Flavia.

– Bien sûr, répondit-il en lui adressant un clin d'œil. Je ne me suis pas autant amusé depuis des années. C'est beaucoup plus drôle que de recopier les discours du sénateur.

Il les emmena dans un jardin manifestement peu entretenu. Flavia le trouva plein de vie. Ici et là, traînaient des jouets d'enfants : une balle de cuir, un cheval de bois avec une roue cassée et un cerceau de roseau.

– Combien ma tante a-t-elle d'enfants ? demanda Flavia.

– Euh… six… ou sept… Je ne me rappelle jamais. Les enfants ne m'intéressent qu'à partir du moment où ils parlent intelligiblement. Et certains n'y arrivent jamais. J'apprécie Aulus, il doit avoir ton âge, une douzaine d'années.

– Je n'ai que dix ans, avoua Flavia.

– Ma chère, tu es si mûre ! Et si intelligente !

1. Endroit recouvert de plantes grimpantes.

Il s'arrêta et lui demanda soudain :

– Quel âge me donnes-tu ?

Il se mit de profil, les mains sur les hanches.

Les jeunes filles se jetèrent un regard ennuyé. Flavia se dit qu'il devait avoir l'âge de son père mais elle savait que les adultes aiment croire qu'ils paraissent plus jeunes.

– Euh… vingt-cinq, répondit-elle.

– Flavia, sourit Sisyphe, tu es mon amie pour la vie !

Ils entrèrent sous un tunnel de lierre.

– Comme c'est beau, s'émerveilla Flavia.

– La maison Verte, dit Nubia.

Il y avait juste assez de place pour une petite table de fer forgé et deux bancs de pierre.

Le petit déjeuner était prêt : pain au sésame, fromage de chèvre frais et trois verres de jus de raisin. Sur un plateau d'argent étaient posés des fruits odorants que Flavia reconnut aussitôt :

– Des oranges !

– Je ne veux pas que vous alliez à Rome ! Je ne veux pas rester seule.

Miriam pleurait.

– J'ai demandé à Alma de s'installer avec vous, tenta de la rassurer Aristo. Elle vient avec les chiens.

– Je veux venir avec vous !

Miriam repoussa ses boucles brunes et jeta un regard de défi au tuteur de Flavia.

Elle était très belle et Lupus sentit Aristo fléchir. Il voulut le prévenir que ce n'était pas une bonne idée quand le jeune homme lança fermement :

– Vous oubliez votre père. Vous devez rester pour l'accueillir, s'ils le relâchent. Et il y a le capitaine Geminus. Il peut revenir de voyage n'importe quand. Nous pouvons aussi recevoir un message important.

– Vous avez raison, admit Miriam. Mais je me sens si inutile.

– Vous ne l'êtes pas, dit Aristo. Vous pouvez nous aider. Rome est une grande ville. Flavia est probablement allée chez sa tante mais nous ne savons pas où Jonathan peut être. Dites-nous si vous en avez la moindre idée…

Miriam réfléchit un instant.

– Depuis qu'il a senti le parfum de la fleur de citronnier, il est complètement déprimé. Il se croit responsable de la mort de Maman.

– Mais il n'était encore qu'un bébé quand elle est morte !

– Je sais.

– Et savez-vous où il a pu aller ?

– Je crois qu'il est à Rome avec oncle Simi.

– Pourquoi ?

– Ils ont laissé un message sur sa tablette de cire. Mais vous ne pourrez pas la lire, c'est écrit en hébreu : « parti pour Rome » et puis… « s'il vous plaît… » et le reste de la cire a fondu.

Lupus prit la tablette à rayures rouges et bleues et l'observa de près.

– Si nous connaissions la suite du message, soupira Aristo.

Lupus attira son attention.

– Quoi ?

Tablette neuve, écrivit-il sur sa propre tablette.

– Oui, c'est Gaïus qui la lui a offerte pour son anniversaire, confirma Miriam.

Cire bon marché, continua Lupus.

– Sans doute mélangée avec de la graisse animale, dit Aristo. Et alors ?

Le stylet est passé au travers. Le message est peut-être gravé dessous.

– Bien sûr ! s'exclama Aristo. Tu es génial, Lupus ! Si nous repoussons la cire, nous pourrons lire le message gravé dans le bois de la tablette !

Jonathan s'assit dans le vestiaire des thermes et attendit.

Il s'était baigné, lavé et séché, et c'était son tour de garder les affaires pendant que son oncle en faisait autant. Simon leur avait acheté des tuniques neuves. Elles étaient crème, avec une rayure noire qui partait de l'épaule droite et descendait jusqu'en bas. Ils avaient aussi la lyre et leur bourse qui contenait leurs dernières pièces.

Jonathan enfila sa tunique. Il mit la bourse autour de son cou, la lyre en sécurité sur ses genoux et il ferma les paupières. À cause du bruit des carrioles, il n'avait presque pas dormi de la nuit.

Il rouvrit soudain les yeux : un Romain se tenait devant lui. Il avait les yeux bleus et les sourcils levés. Il portait la même tunique que Jonathan.

– Oncle Simon ?

Son oncle hocha la tête et passa la main sur son menton rasé de frais.

– C'est fou ce qu'un rasage peut vous changer, dit-il.

Il prit la lyre et regarda Jonathan.

– En route. Il est temps d'aller visiter le mont Palatin.

Lupus se fraya un passage entre Miriam et Aristo qui s'affairaient devant le foyer de la cuisine.

– Attention, Lupus, le prévint Aristo, les charbons sont brûlants.

Il ajouta pour Miriam :

– Faites attention de ne pas carboniser le bois.

– Je sais ce que je fais, rétorqua la jeune fille. Je cuisine tous les jours.

Aristo n'osa pas répondre mais, au bout d'un moment, il souffla :

– Vous avez bien changé. Vous étiez une petite fille si timide…

– Je ne suis timide qu'avec les gens que je ne connais pas, lui expliqua Miriam.

Lupus donna soudain un coup de coude au tuteur.

– Quoi ?

Le garçon désigna la tablette qui fumait.

– Ça brûle ! s'écria Aristo.

– Mais non.

Calmement, Miriam attrapa la tablette du foyer avec des pinces et vida la cire sur les cendres. Puis elle la sortit du feu et gratta les dernières traces de cire.

– Mettons-la à la lumière, suggéra-t-elle.

Ils allèrent dans le jardin et se penchèrent sur les marques tracées dans le bois tendre. Miriam déchiffra :

— *Parti pour Rome. S'il vous plaît, ne vous inquiétez pas. Je suis avec Simon, il pense que Maman est toujours en vie et qu'elle est esclave dans la Maison dorée de Néron. Nous partons la sauver.*

Miriam pâlit.

— Père a toujours cru que Maman était morte, bégaya-t-elle. Simon a dû mentir à Jonathan. Flavia avait raison, c'est un piège. Il faut sauver mon frère.

— Jonathan, tu n'es pas obligé de venir, dit Simon. Tu peux attendre mon retour ici.

Ils se tenaient à l'ombre de pins parasols près d'une fontaine sur le mont Palatin. Dans le bassin, deux nymphes de marbre faisaient couler de l'eau de coquillages qu'elles tenaient dans leurs mains.

Jonathan était en sueur. La montée avait été rude. Sa respiration était sifflante.

— Dis-le-moi encore, demanda-t-il.

Simon plongea son regard dans celui de Jonathan.

— Je pense que ta mère est toujours en vie et prisonnière de la Maison dorée.

— Je viens avec toi.

— Alors, tu dois savoir en quoi consiste ma mission exactement.

100

– D'accord.

– Trois assassins ont été envoyés de Corinthe, commença Simon. Ils se rendent au palais de Titus.

– Trois ? s'étonna Jonathan.

– Oui.

Simon mit la main à sa ceinture et en sortit un poignard.

– Trois, répéta-t-il. Et je suis l'un d'entre eux.

Titus et Bérénice, reprit Sisyphe, étaient
– aussi cruels l'un que l'autre. Ils l'étaient
avant de se rencontrer et le sont restés.

Ils avaient fini leur petit déjeuner mais étaient
restés sous la pergola de lierre pour discuter.

– Que faisaient-ils ? demanda Nubia.

– Il est inutile que je vous raconte les détails, il
me suffit de vous dire que les gens les surnommaient
Néron et Poppée.

Flavia s'étrangla.

– Qu'est-ce que c'est, Néronépopé ? s'enquit
Nubia.

– Néron était un empereur cruel, répondit
Flavia, il a fait beaucoup de mal et Poppée était sa
maîtresse. C'est Pater qui m'en a parlé, ils ont commis des actes terribles.

Assis sur le bord de la fontaine, Jonathan pâlit.

– S'ils nous attrapent, expliqua Simon, ils nous
tortureront et après ils nous tueront, probablement
par crucifixion. Toi, tu seras sans doute emprisonné

et réduit en esclavage. Tu es toujours sûr de vouloir m'accompagner ?

Jonathan acquiesça et essaya de parler mais sa gorge était sèche. Il se pencha sur la fontaine pour boire une gorgée d'eau. Quand il se retourna, Simon cachait sa dague dans un buisson et la recouvrait d'aiguilles de pin.

– S'ils trouvent ce couteau sur moi, je serai pendu à une croix avant d'avoir le temps de cligner un œil. Pour l'instant, notre seule arme sera notre intelligence.

Il mit la lyre sur son épaule.

Jonathan se leva. Son cœur battait la chamade. Son oncle le toisa.

– Nerveux ?

– Hmm.

– Ne t'inquiète pas. Les gardes ne s'étonneront pas. Il est tout à fait normal qu'une personne sur le point de jouer sa musique devant l'homme le plus puissant de l'Empire romain soit nerveuse.

– Mes enfants, laissez-moi vous raconter une anecdote.

Sisyphe se pencha en avant et baissa la voix.

– Titus est empereur depuis trois mois et il a beaucoup changé. Vous avez entendu parler du Vésuve ?

Flavia et Nubia se lancèrent un regard entendu.

– Le volcan, lança Flavia.

103

– Oui, le volcan. Quelle terrible catastrophe ! Des centaines de personnes ruinées et sans toit ! Savez-vous ce que Titus a fait ? Un homme que l'on croyait prêt à nous saigner aux quatre veines pour payer ses orgies ? (Sisyphe se frappa la cuisse et se redressa.) Il a aidé les rescapés en payant de sa poche.

– Incroyable ! s'écria Flavia.

– Eh oui, approuva Sisyphe. Quand un homme ouvre son porte-monnaie, vous pouvez être sûr qu'il a vraiment changé, du fond du cœur.

– Tu ne crois pas qu'il fait semblant pour obtenir les faveurs des sénateurs ? demanda Flavia.

– Et pour se faire apprécier des gens ? ajouta Nubia.

– C'est ce que croient certains. Pas moi. Je crois qu'il a sincèrement changé. Une semaine après la mort de Vespasien, Bérénice est revenue en hâte d'Athènes et que croyez-vous qu'il est arrivé ?

Flavia et Nubia haussèrent les épaules en signe d'ignorance.

– Il l'a renvoyée. Il a tous les pouvoirs, il aurait pu en faire une reine, mais il l'a renvoyée sans même prendre la peine de la revoir. Il a forcément changé.

Il y eut un bruit derrière le lierre et le visage de Caudex apparut.

– Que fais-tu là ? s'étonna Flavia.

– Euh… je voulais entendre la fin de l'histoire, rougit le gros esclave en regardant ses pieds.

Sur le mont Palatin, des esclaves étaient chargés d'agrandir le palais. Jonathan entendait les coups de marteau, le sifflement des scies et les cris des hommes au travail. À l'entrée réservée aux esclaves, le silence régnait. Seuls quelques oiseaux pépiaient et une brise légère agitait les feuilles. Jonathan et son oncle s'approchèrent d'un porche ombragé. Deux soldats montaient la garde.

Après la demande de Simon, un esclave alla chercher son supérieur.

– N'oublie pas, souffla Simon à Jonathan, contente-toi de secouer le tambourin comme l'autre soir et tout se passera bien.

« Cette fois, j'ai enfin une occasion de faire les choses comme il faut », pensa Jonathan.

Un homme aux cheveux grisonnants apparut dans l'encadrement de la porte à double battant.

– Bonjour, prononça Simon de sa voix grave. Nous sommes des musiciens ambulants. Nous venons jouer pour l'empereur.

– Je suis désolé, répondit l'homme, aucun étranger n'est autorisé à pénétrer dans le palais.

– Je suis sûr que l'empereur serait ravi de nous entendre, insista Simon.

– C'est vrai, il aime beaucoup la musique, mais nous avons resserré la sécurité dernièrement et il m'est impossible de vous faire entrer.

Simon fit demi-tour puis revint sur ses pas.

– Est-il possible de parler à un dénommé Agathus ? demanda-t-il.

L'esclave regarda Jonathan et Simon.

– C'est moi.

Simon jeta un coup d'œil vers les gardes et, du bout de sa sandale, traça discrètement un signe dans la poussière du porche. Avant que Jonathan ait eu le temps de le voir, il l'avait effacé.

Agathus regarda Simon.

– Il y a peut-être un moyen…

Flavia secoua la tête.

– Comment allons-nous savoir si Jonathan a réussi à entrer dans la Maison dorée ?

Les yeux de Sisyphe étincelèrent.

– J'y ai pensé. Nous devons prendre le problème différemment. Je crois que pour ne pas perdre de temps, nous devons partir du principe qu'il a réussi et trouver nous aussi un moyen d'entrer dans la Maison dorée.

– Il y a sûrement des passages secrets ou des tunnels, réfléchit Flavia à haute voix.

– J'en suis certain, affirma Sisyphe. C'est tout à fait le genre de Néron. Il ne nous reste plus qu'à les trouver.

Lupus, dépêche-toi, on s'en va !

– Lupus aperçut la carriole. Elle se dirigeait vers l'arche de la porte romaine. Lupus remonta en courant la via Decumanus Maximus, il manqua de renverser deux femmes protégées d'ombrelles de papyrus et évita de justesse un charpentier avec des planches sur l'épaule. Pour un peu, il se serait cogné dans un esclave qui portait une jarre pleine d'urine pour la jeter dans les égouts.

– Vite, cria encore Aristo, je t'ai gardé une place.

Lupus atteignit les colonnades[1] des marchands et poussa un dernier sprint jusqu'aux soldats qui riaient près de la porte romaine. Il n'eut que le temps de s'agripper à la main tendue d'Aristo et de sauter dans la carriole. Les autres passagers lui sourirent et le conducteur qui avait ralenti lui adressa un clin d'œil par-dessus son épaule.

– As-tu réussi à donner le baume à Mordecaï ? demanda Aristo à voix basse.

---

1. Passage couvert bordé de colonnes.

Lupus acquiesça avant de se retourner pour regarder la porte principale d'Ostia qui s'éloignait.

Il allait enfin voir Rome.

Dans une grande pièce du palais impérial du mont Palatin, un homme au visage rond et aux cheveux noirs interrogeait Simon et Jonathan.

– Je me nomme Harmonius, annonça-t-il, vous êtes recommandés par Agathus mais je veux m'assurer par moi-même de vos compétences. Nous sommes en état d'alerte à cause des tentatives d'assassinat sur la personne de l'empereur, mais il faut reconnaître que jamais ses maux de tête n'ont été aussi violents que ces derniers temps. Seule la musique le soulage. Si vous êtes bons musiciens, il vous récompensera.

L'homme croisa les bras.

– D'abord, voyons si vous n'êtes pas des imposteurs !

– C'est là.

Debout près de la litière privée de la femme du sénateur, les mains sur les hanches, Sisyphe montra l'énorme bâtiment du menton.

– La huitième merveille du monde.

Flavia et Nubia se penchèrent hors de la litière et admirèrent la superbe et imposante construction ovale et blanche qui se détachait sur le ciel turquoise.

– Bulbus, Caudex, vous pouvez vous reposer, dit Sisyphe.

Les deux esclaves posèrent la litière sur les pavés et aidèrent Flavia et Nubia à en sortir.

– Je n'avais jamais vu une aussi grande maison, lança Flavia, une main en visière sur le front, c'est incroyable !

– Qu'est-ce que c'est ? demanda Nubia.

– C'est le nouvel amphithéâtre de Vespasien, répondit Sisyphe. Il ouvrira dans quelques mois, on y montrera des combats de gladiateurs, des chasses d'animaux sauvages…

– Et toutes ces planches autour ? reprit Nubia.

– Ce sont les échafaudages.

Flavia fronça les sourcils.

– Pour quoi faire ? Ils peignent ?

Sisyphe secoua la tête.

– Non, ils recouvrent tout le bâtiment de stuc. C'est une espèce de plâtre mélangé avec de la poussière de marbre, pour le faire briller. Quand ils auront fini, l'amphithéâtre donnera l'impression d'être en véritable marbre. Ils n'auront plus qu'à le peindre et à mettre les statues dans les niches.

Flavia regarda Sisyphe.

– Des centaines d'esclaves doivent travailler à ce chantier…

– Des milliers, ma chère, des milliers. Et ce sont presque tous des juifs de Judée ramenés par notre illustre empereur Titus.

À la fin de la seconde chanson de Simon, une vingtaine d'esclaves, de scribes et de soldats s'étaient regroupés pour l'écouter. À la dernière note, ils applaudirent chaleureusement.

Harmonius s'essuya les yeux avec un mouchoir.

– Extraordinaire, murmura-t-il. Je n'avais jamais rien entendu d'aussi émouvant. Monsieur, vous êtes un artiste.

Simon s'inclina modestement et Jonathan poussa un discret soupir de soulagement.

– L'empereur se rend à un dîner officiel ce soir, mais son frère Domitien[1] donne une petite fête au palais, il serait ravi de vous entendre. Vous pourrez jouer pour l'empereur demain.

Harmonius se leva.

– Maintenant, si vous voulez vous reposer et vous préparer, je vais vous montrer vos chambres.

– Il y a, bien sûr, plus d'un forum à Rome, mais quand les Romains parlent du Forum, c'est à celui-là qu'ils pensent.

Flavia était bouche bée devant les bâtiments qui se dressaient autour d'elle. Tant de colonnes, de statues magnifiquement peintes ! Ces tuiles rouges et ces pointes d'or sur toutes les maisons.

De plus, contrairement à son attente, le forum était quasi vide. Il n'y avait là que quelques esclaves

---

1. Jeune frère de Titus. Il a vingt-neuf ans au moment de cette histoire.

qui vaquaient à leurs occupations et un enfant menant un troupeau de chèvres.

– Je pensais que l'endroit serait bondé, souffla-t-elle.

– C'est le cas, habituellement, expliqua Sisyphe, mais écoute.

Les jeunes filles s'immobilisèrent. Caudex et Bulbus les imitèrent. Seules les cloches des chèvres brisaient le silence. Puis elles entendirent une rumeur.

– J'ai déjà entendu ce bruit, remarqua Nubia.

– Cela vient du Circus Maximus*, de l'autre côté du mont Palatin, dit Sisyphe. Les courses ont commencé et ce que vous entendez est le son de 250 000 personnes qui encouragent leur équipe.

– 250 000 !

Flavia n'en revenait pas.

– Eh oui, nous sommes en pleine période de *Ludi Romani*[1], les jeux romains.

– C'est quoi ?

Pour Nubia, tout était nouveau.

– Pendant douze jours, il y a des courses de chars. Tous les Romains y assistent. En ce qui me concerne, je ne supporte pas. Tout ce bruit ! soupira Sisyphe. Je préfère de loin une bonne comédie de Plaute[2] ou un récital de musique. Maintenant, regardez derrière vous.

1. Période de fête et de jeux qui durait deux semaines, pendant le mois de septembre, et marquée par des courses de chars.
2. Poète et auteur de théâtre romain (254-184 av. J.-C.).

– Par la barbe de Neptune ! s'exclama Flavia.

– Qu'est-ce que c'est que ça ? cria Nubia.

Une immense statue d'or représentant un homme nu se dressait devant le nouvel amphithéâtre.

– Le dieu-soleil, murmura Nubia.

– Ça ne lui ressemble pas, dit Flavia.

– Tu as parfaitement raison, ma chère, siffla Sisyphe, ce n'est pas le dieu-soleil. C'est une statue de Néron qu'il a fait ériger ici, lui-même. Mais Vespasien a fait mettre des rayons sur la tête pour qu'on croie que c'est le dieu-soleil.

– Plutôt grassouillet, sourit Flavia.

Sisyphe montra des portes de bronze devant lesquelles se dressaient des colonnes vertes.

– Je pense trouver le plan de la Maison dorée là-dedans. Ils me laisseront entrer parce que je travaille pour le sénateur Cornix mais vous ne pouvez pas m'accompagner.

– Qu'allons-nous faire en attendant ? s'inquiéta Flavia.

Sisyphe lui adressa un clin d'œil.

– Profiter de la magnificence de Rome, en commençant par les thermes. Bulbus et Caudex vont vous y emmener et vous attendront dehors. Faites-vous faire un massage, une manucure, un soin des cheveux et mettez tout sur le compte de madame Cynthia. Je vous retrouve à la maison vers la onzième heure. J'aurai, je l'espère, des informations intéressantes.

Dans l'après-midi du même jour, Harmonius mena Simon et Jonathan dans le triclinium privé du jeune frère de l'empereur. Domitien et ses hôtes venaient de terminer leur premier plat quand les deux musiciens montèrent sur l'estrade ceinturée de colonnes roses.

Quinze invités étaient allongés sur les sofas et mangeaient des fruits ronds et orange que Jonathan n'avait jamais vus. Il était encore tôt, à peine plus de la neuvième heure*. Dehors, la canicule régnait, mais le triclinium d'été du palais impérial était aussi frais qu'une oasis. De l'eau coulait en cascade sur un mur de marbre rose et des palmiers et des gardénias dégageaient un parfum enchanteur. Six esclaves égyptiennes éventaient les convives.

Jonathan reconnut immédiatement Domitien. Il ressemblait fortement à son frère, en plus mince et avec des cheveux bruns au lieu d'être blonds. Il était allongé sur le sofa central entre un homme barbu et une jolie femme rousse.

La femme riait très fort à un propos de Domitien. Elle devait le trouver à son goût. Il avait des cheveux bouclés et de grands yeux bruns, mais Jonathan n'aimait pas son sourire.

Quand Simon eut installé la lyre entre ses pieds, il regarda Harmonius qui lui adressa un signe de tête.

Simon attendit quelques secondes avant de pincer la première corde. Les dîneurs se firent silencieux.

Jonathan rythmait la mélodie avec son tambourin. Simon se mit à chanter.

Les spectateurs étaient émus. Ils s'étaient immobilisés, captivés. À la fin de la troisième chanson, Jonathan osa lever la tête.

Certains souriaient et tapotaient leurs doigts en rythme sur la table, d'autres avaient fermé les yeux. Mais l'homme barbu s'était penché vers Domitien pour lui parler à l'oreille. Les deux hommes regardèrent Simon, qui était perdu dans sa musique.

Simon joua la dernière note et les applaudissements crépitèrent. Soudain, le barbu se leva et prononça d'une voix grave :

– Bravo, c'était magnifique, Simon.

– Merci, dit Simon en souriant.

Jonathan vit une lueur de panique traverser les yeux de son oncle. L'homme l'avait appelé par son prénom et il ne s'était pas adressé à lui en latin mais en hébreu. Et Simon avait répondu de même.

–Par Pollux, grommela Bulbus en atteignant le coin de la rue alors qu'ils revenaient des thermes. On dirait que nous avons d'autres visiteurs.

Flavia se pencha hors de la litière, ce qui eut pour effet de la faire basculer d'un côté. Bulbus jura et compensa comme il put le déséquilibre.

–Arrête ! cria Flavia.

Elle sauta et accourut vers les personnes qui se tenaient devant le porche.

–Aristo ! Lupus !

Elle se jeta dans les bras de son tuteur, puis serra Lupus contre elle.

–Vous allez avoir de gros problèmes, les filles, gronda Aristo en essayant de prendre un ton sévère.

Flavia hocha malicieusement la tête.

–Alors pourquoi souris-tu ?

–Je ne souris pas ! affirma Aristo avant d'éclater de rire.

–Gardes !

Le frère de l'empereur se leva.

Immédiatement, deux soldats apparurent et se tinrent prêts.

– Ton nom est Simon ben Jonah ? demanda Domitien.

Le silence fut terrible. L'homme barbu se leva à son tour et s'approcha de Domitien. Il dit en latin :

– Oui, c'est lui. Je le reconnais malgré sa barbe rasée et ses cheveux courts. Sais-tu qui je suis, Simon ?

Jonathan regarda son oncle.

– Yoseph ben Matthias, grommela Simon en se redressant lentement.

Jonathan l'imita.

– Exactement, sourit l'homme barbu d'un air satisfait. Je suis à présent au service de l'empereur et j'ai donc pris son nom : Titus Flavius Josephus*.

Domitien avança vers Simon et le dévisagea.

– Es-tu sûr, Josephus, que cet homme est un assassin ?

– Certain, affirma Josephus. Tout le monde connaît Simon le sicarius.

– Parfait, lança Domitien. Gardes, faites-leur avouer tout ce qu'ils savent et crucifiez celui-ci. Quant à l'enfant, emmenez-le avec les autres esclaves juifs. Il est inutile d'ennuyer l'empereur avec tout cela.

Bulbus allumait les lampes à huile, quand Sisyphe entra dans la cour intérieure de la maison.

– Ah ! dit-il, vous devez être le fameux Lupus. Ravi de faire enfin votre connaissance. Flavia et Nubia m'ont beaucoup parlé de vous... Et vous êtes Aristo !

Aristo acquiesça.

– J'espère que deux invités de plus ne vous dérangeront pas.

Sisyphe répondit en grec.

Le tuteur de Flavia rit et répondit dans la même langue.

– Hé, protesta Flavia, vous n'avez pas le droit ! Je déteste ne pas comprendre ce que disent les gens.

– Tu devrais, pourtant, se moqua gentiment Aristo. Tu étudies le grec depuis presque trois ans.

– Je sais, bouda Flavia, mais vous parliez trop vite.

Elle se tourna vers le secrétaire de son oncle.

– Aristo et Lupus ont découvert un message laissé par Jonathan. Nous avions raison, il est à la Maison dorée. Mais ce n'est pas pour obtenir des informations sur sa mère... en fait, il pense qu'elle est en vie. Pourtant Miriam, la sœur de Jonathan, est certaine que leur mère est morte. Elle pense que Jonathan a été piégé.

Flavia s'arrêta pour reprendre sa respiration.

– Pourquoi quelqu'un aurait-il voulu piéger Jonathan ? demanda Sisyphe.

– Peut-être que Simon a besoin de lui pour réussir à tuer l'empereur, suggéra Flavia.

– C'est fort possible, approuva Aristo, personne ne soupçonnera un homme accompagné d'un jeune garçon d'être un assassin.

– Et sais-tu comment il est entré dans la Maison dorée ? reprit Flavia à l'attention de Sisyphe.

– Pas encore, mais j'ai récupéré quelques rouleaux qui vont aider à le savoir. Nous y jetterons un coup d'œil dès les premières lueurs de l'aube.

– Parfait, se réjouit Flavia. Maintenant que nous sommes tous ensemble, je suis sûre que nous allons réussir à sauver Jonathan.

– Tu as beaucoup de chance, dit Agathus à Jonathan.

Près d'eux, un esclave était occupé à rougir au feu une barre de métal.

– Si Josephus n'était pas intervenu, tu aurais toi aussi été torturé.

Jonathan, frissonnant, ne se sentait pas si chanceux que ça. On lui avait rasé la tête, on l'avait inspecté pour vérifier qu'il n'avait pas de poux, on lui avait ouvert la bouche pour examiner ses dents, on lui avait enlevé tous ses biens dont sa bulla[1] et sa bague enchâssée d'un rubis. On lui avait même confisqué son mouchoir imbibé de parfum de citron.

---

1. Amulette de cuir ou de métal, portée par les enfants pour les différencier des esclaves.

Ils avaient seulement été obligés de lui laisser la bague à sceller de sa mère qui était coincée à son doigt.

Agathus vit Jonathan regarder sa bague.

– Tu pourras la retirer dans quelques jours. Quand tu auras maigri.

L'esclave sortit sa barre de métal du feu. C'était le sceau de l'empereur. Quand il serait marqué, Jonathan lui appartiendrait.

– Ton ami aussi a eu de la chance, continua Agathus, il vivra. Du moins s'il ne meurt pas pendant les séances de torture.

Jonathan frissonna de nouveau. Josephus avait réussi à persuader Domitien de ne pas tuer Simon mais de lui brûler les yeux et de lui couper les gros orteils. De cette façon, il serait aveugle et boiteux mais pourrait continuer à jouer sa magnifique musique.

– Tu ne vas pas encore vomir ?

Agathus posa sa main sur l'épaule de Jonathan. L'esclave approcha avec la barre de métal.

Agathus serra l'épaule de Jonathan et lui tendit une ceinture de cuir.

– Tiens, mon garçon, mords là-dedans. Et attends-toi à une grande douleur.

Jonathan était sur le point d'obéir mais il leva les yeux vers Agathus.

– Je ne pourrais pas mordre dans mon mouchoir à la place ?

Agathus tendit son mouchoir à Jonathan qui respira l'essence de citron à pleines narines. Puis il le plia et le plaça entre ses dents qu'il serra de toutes ses forces.

Ce n'est pas la douleur qui le fit s'évanouir, mais l'odeur de chair brûlée.

– Ça ne sert à rien, déclara Flavia après avoir observé le parchemin. On ne trouvera rien là-dedans.

Trois jours avaient passé depuis l'arrivée d'Aristo et Lupus.

Dans la bibliothèque du sénateur, Flavia et Sisyphe observaient les plans des architectes de Néron.

Aristo et Lupus, l'air inquiet, entrèrent dans la pièce. Ils venaient de grimper le mont Palatin, déguisés respectivement en patricien et en esclave.

– Qu'avez-vous découvert ? leur demanda Flavia.

Lupus secoua la tête. Aristo enleva sa toge et la jeta sur un siège.

– Je me demande comment on peut porter ce genre de vêtement. C'est terriblement chaud !

Sisyphe se leva et prit la toge pour la plier correctement.

– Bien sûr, c'est une toge d'hiver. Le sénateur est parti avec ses vêtements d'été.

Nubia et Caudex apparurent à leur tour dans l'encadrement de la porte. Ils s'étaient rendus sur le mont Esquilin dans l'espoir d'y dénicher une entrée secrète.

– Des hauts murs tout autour, grommela Caudex avant de partir dans la cuisine.

– Nous ne retrouverons jamais Jonathan, s'exclama Flavia, désespérée.

Il y eut un silence.

Puis Sisyphe prit la parole.

– Ma grand-mère, que Junon[1] prenne soin d'elle dans la mort, était une femme de grand bon sens. Un jour, j'ai perdu un jouet auquel je tenais beaucoup. Je l'ai cherché partout en vain. Elle m'a dit : « Mon garçon, si tu cesses de chercher, ton jouet viendra à toi. »

– Et ça a marché ? demanda Flavia.

– Oui. Je suis allé rendre visite à une amie le lendemain, et c'est là qu'il était. Elle me l'avait emprunté sans me demander.

– Et comment est-ce censé nous aider ? soupira Aristo.

– Demain, les *Ludi Romani* se terminent. Je suggère que nous nous reposions en allant voir les courses. Je déteste ça, mais nous avons besoin d'une pause afin d'aborder le problème sous un angle nouveau.

1. Reine des dieux romains, femme de Jupiter.

Lupus poussa un cri de joie. Nubia prit un air ravi. Elle avait très envie d'aller voir les chevaux courir. Flavia consulta Aristo du regard, qui lui répondit d'un léger signe de tête.

– D'accord, admit Flavia. Ça ne peut pas nous faire de mal.

– Qu'est-ce que tu fais ? demanda une petite fille en araméen[1].

– À ton avis ? répliqua Jonathan dans la même langue.

– On dirait que tu nettoies les latrines.

– Bravo !

Jonathan se redressa et ferma les yeux. Loin d'avoir disparu, la douleur dans son bras ne faisait que s'amplifier.

– T'es un nouveau ? demanda encore la petite fille.

– Oui, acquiesça Jonathan en essayant de ne pas vomir à cause de l'odeur. Et d'ailleurs, c'est où ici ?

Après qu'on l'eut marqué au fer rouge, Jonathan s'était évanoui. Il se rappelait vaguement avoir été emmené dans une chambre minuscule. Chaque matin, une esclave déposait un bol de blé concassé

---

1. Langue proche de l'hébreu. C'était la langue principale des juifs à cette époque.

devant la porte. Ce matin, elle lui avait apporté une brosse à récurer et lui avait demandé d'aller nettoyer les latrines.

– Nous sommes dans la Maison dorée. Je m'appelle Rizpah. Et toi ?

– Jonathan. Mais pourquoi es-tu là ?

La femme qui lui avait donné la brosse lui avait également expliqué qu'il resterait une semaine isolé et que, de toute façon, personne ne venait par ici dans la journée.

La petite fille s'assit sur le banc de bois poli, entre les deux trous découpés pour les latrines. Elle était étrange. Petite, de la taille d'une enfant de cinq ans, mais il était évident qu'elle était plus âgée. Elle devait avoir au moins l'âge de Lupus. Ses cheveux raides étaient entièrement blancs et ses yeux étaient roses. Sa peau était si fine qu'elle semblait translucide. Elle était vêtue d'une tunique noire bordée de blanc.

– Tu es une esclave toi aussi ? dit Jonathan.

Rizpah agita ses jambes et cogna ses talons contre la caisse de bois.

– Bien sûr. Tu es mignon, je t'aime bien.

Jonathan haussa les épaules.

– Tu parles ! On m'a rasé la tête, on m'a brûlé le bras...

– Ça ressemble à quoi, dehors ? l'interrompit-elle.

– Dehors ?

– Rome.

Jonathan la dévisagea.

– Tu n'es jamais sortie ?

Rizpah secoua la tête.

– Je déteste le soleil. Je préfère rester ici. Il fait toujours frais et sombre. J'ai habité toute ma vie dans la Maison dorée. Ici je suis née, ici je mourrai.

Elle semblait répéter les propos de quelqu'un d'autre.

– Quand je pense que mes amis me trouvent pessimiste, marmonna Jonathan avant d'ajouter : tu as d'autres idées pour me remonter le moral ?

– Je sais comment tu peux partir d'ici.

Jonathan posa la brosse et la regarda.

– Rizpah. Tu as VRAIMENT éclairé ma journée.

Nubia se dressa sur son siège pour voir par-dessus la barrière de protection. Elle vit la piste sablée et les étranges sculptures érigées au centre. Il y avait une immense aiguille de granit rose et, plus loin, sept dauphins dorés.

Elle se retourna vers les autres spectateurs.

– Je n'ai jamais vu autant de gens, murmura-t-elle.

– Comment as-tu réussi à obtenir ces places ? demanda Flavia à Sisyphe. Juste devant et à l'ombre.

– Ce sont les places réservées pour le sénateur. Il en a huit de façon à pouvoir venir avec sa femme et sa tribu. D'ailleurs, je pense que nous n'allons pas

avoir la chance de bénéficier de l'ombre très longtemps. Il est encore tôt.

– Regardez, s'écria Nubia, les chevaux !

Les premiers chars se placèrent en plein soleil.
Des trompettes retentirent et la foule acclama.
Nubia se boucha les oreilles, mais quand les chars
passèrent devant elle, elle oublia le bruit.

– Regardez ! C'est Titus.

– Oui, expliqua Sisyphe. Ce soir, les courses se
terminent, l'empereur lui-même ouvre les dernières
courses.

Titus conduisait un magnifique char doré, tiré par
deux étalons blancs. Il était vêtu de rouge et portait
une couronne sur la tête. Près de lui, se tenait un jeune
homme en armure dorée, parfaitement immobile.

– C'est une statue ? s'enquit Nubia.

– Oui, dit Sisyphe. C'est la statue en or et ivoire
de Britannicus*. Il était très proche de Titus, avant
que Néron l'empoisonne.

Nubia se pencha un peu plus.

La première équipe était bleue. Les chevaux
trottaient fièrement et secouaient leur crinière
comme s'ils appréciaient les cris de la foule. Puis
venaient les verts, les rouges et enfin les blancs.

– J'adore les chevaux de l'équipe rouge, chuchota Nubia à Sisyphe.

– Tu as tort, ma chère. Seuls les marins et les
conducteurs de chariots soutiennent les rouges. Tu
dois préférer les bleus.

Nubia fronça les sourcils.

–Mais je suis sûre que les chevaux de l'équipe rouge sont meilleurs.

Sisyphe leva les yeux au ciel.

–Très bien, puisque tu insistes !

Et il s'éloigna, manifestement en colère.

–Qu'est-ce que tu lui as dit ? demanda Flavia. Je ne l'avais jamais vu comme ça.

–Juste que j'aimais l'équipe rouge.

Le troisième char rouge passa justement devant elles. Le conducteur avait la peau noire et devait avoir sensiblement le même âge que Nubia. Comme les autres, il avait noué les rênes autour de sa taille.

–C'est dangereux, s'exclama Nubia. Que se passera-t-il s'il tombe ?

–Je ne sais pas, répondit Flavia.

Aristo se pencha vers les filles.

–Regardez bien, il tient un couteau à la main. S'il est entraîné et tombe, il coupera les rênes.

Nubia frissonna.

La course commença et, très rapidement, le conducteur du char rouge prit la tête. Nubia vit son visage barré d'un sourire éclatant et, sans s'en rendre compte, elle se mit à crier avec la foule : « Allez le rouge ! Allez le rouge ! » Elle n'avait pas vu Sisyphe revenir mais elle réalisa soudain qu'il se tenait devant elle et encourageait l'équipe rouge aussi fort que tout le monde.

– Par Junon, il fait terriblement chaud !

Sisyphe s'éventait vigoureusement en souriant.

– Nous devrions rentrer maintenant pour éviter de nous retrouver coincés dans la masse. Nous nous sommes bien amusés. Et nous avons gagné quelque argent.

– Comment ça ? s'étonna Flavia.

Elle avait acheté des pistaches et, tout en grignotant, elle essayait de déchiffrer les inscriptions notées sur le papyrus qui les enveloppait.

– Nous avons gagné mille deniers[1]. C'est plus que ce que je gagne en louant ces places.

Lupus écarquilla les yeux.

– Comment avons-nous gagné tout cet argent ? demanda Flavia.

– Très simple. J'ai parié sur les chevaux que Nubia m'a conseillés. Elle ne s'est pas trompée une seule fois ! Où croyez-vous que je suis allé tout à l'heure ? Aux latrines ?

Aristo s'adressa en grec à Sisyphe qui lui répondit dans la même langue.

Flavia leur jeta un regard courroucé. Sisyphe expliqua aussitôt à voix basse :

– Aristo est étonné parce que j'ai dit que parfois, je gagnais de l'argent en louant ces places à d'autres gens. Je le fais en accord avec l'homme qui s'occupe des locations. De toute façon, le sénateur ne vient

1. Unité monétaire romaine. Un denier vaut 4 sesterces.

jamais aux courses, alors ! Et puis nous ne louons qu'à des familles respectables qui ne se penchent pas par-dessus le parapet en jetant des coques de pistaches sur la piste, Lupus !

Lupus sursauta, pris en flagrant délit. Mais l'attention de Sisyphe était déjà attirée ailleurs.

– C'est Celer ! s'exclama-t-il. Je le croyais mort depuis des années.

– Celer ? C'est qui ? demanda Flavia.

– L'architecte dont tu étudies les plans depuis trois jours, précisa Sisyphe.

Flavia se redressa. Toutes ses pistaches tombèrent sur le sol.

– Je crois qu'il est temps que vous rentriez à la maison, suggéra Sisyphe. Aristo, peux-tu les ramener ? Quant à moi, je vais aller saluer Celer. Il me doit un ou deux services. S'il y a un passage secret pour entrer dans la Maison dorée, il me le dira !

Sa main dans celle de la petite fille, Jonathan avançait dans l'obscurité.

– Comment sais-tu où nous allons ? Et comment as-tu découvert ces tunnels ?

Sa voix résonnait.

– Je te l'ai déjà dit, chuchota Rizpah. J'ai vécu ici toute ma vie. Il y a des passages souterrains partout. Certains sont bouchés mais pas tous. Maman dit que c'est la Bête qui les a construits.

– La Bête ?

L'araméen de Jonathan n'était pas parfaitement au point. Son père ne voulait l'entendre parler que l'hébreu à la maison.

– Néron la Bête !

– Rizpah. Est-ce que ta mère est ici ?

– Bien sûr.

– Est-ce que je peux la voir ?

Elle s'arrêta brusquement et il se cogna dans elle.

– Jonathan, demanda Rizpah d'une voix qui essayait de rester calme. Il faut te décider. Ou tu veux sortir, ou tu veux rencontrer ma mère.

– Il y a d'autres femmes avec ta mère ?

– Bien sûr, elles font de la tapisserie dans la Chambre octogonale.

– Rizpah, reprit Jonathan, je désire plus que tout au monde fuir cet endroit, mais je suis venu à Rome pour retrouver ma mère. Elle s'appelle Susannah. Y a-t-il une femme du nom de Susannah ben Jonah avec vous ?

Le silence qui suivit fut si long que, s'il n'avait pas eu la petite main de Rizpah dans la sienne, il l'aurait crue partie.

Finalement, Rizpah répondit :

– Oui, il y a une femme qui s'appelle Susannah la Belle. Mais elle n'est pas avec les autres. On l'appelle la traîtresse.

Flavia et ses amis sortirent du Circus Maximus. Un groupe de chats somnolaient sur un vieux char. Le bruit les réveilla, et ils s'égaillèrent. Un seul, magnifiquement tigré, s'arrêta pour les observer.

– Feles ! s'exclama soudain Flavia.

– Le conducteur de la carriole ? demanda Nubia.

Aristo et Lupus échangèrent un regard d'incompréhension.

– Bien sûr ! il nous a dit que sa petite amie était esclave au palais impérial. Il connaît forcément le moyen d'entrer. J'aurais dû y penser plus tôt.

Aristo posa sa main sur l'épaule de Flavia.

– Est-il possible de le trouver ?

– Oui, il nous a dit qu'il serait à la taverne de la Chouette, à l'entrée de la ville.

– Quelle entrée ?

– Celle avec trois arches et la grande pyramide blanche.

– La porte d'Ostia, déclara Aristo. C'est tout près d'ici.

– Rizpah, murmura Jonathan, il y a de la lumière.

– C'est la Chambre octogonale. Ma mère est là-bas.

Les deux enfants rampaient dans un étroit tunnel. Ils atteignirent la sortie. La pièce, éclairée par le haut par un dôme de verre, était pleine de femmes en train de travailler sur d'immenses métiers à tisser.

– Je crois qu'avant c'est là que dînait la Bête, dit Rizpah. Ma mère appelle cet endroit la tente à cause du dôme. Moi, je ne me rappelle pas parce que je n'étais pas encore née.

Elle désigna une femme du doigt.

– C'est ma mère, celle avec les cheveux bruns qui tisse le tapis rouge et bleu. Elle s'appelle Rachel.

Toutes les femmes étaient vêtues de tuniques noires, comme si elles étaient en deuil. Certaines avaient les cheveux couverts d'un foulard, les autres étaient tête nue.

– Et la Susannah dont tu m'as parlé ? murmura Jonathan.

– Elle n'est pas là.

– Je sais, mais dis-moi où elle est.

– Tu veux la voir maintenant ou d'abord parler à ma mère ?

– Je veux la voir maintenant.

Le cœur de Jonathan battait à tout rompre.

– Alors suis-moi. Elle est dans la caverne du Cyclope.

– Je n'aime pas cet endroit, déclara Aristo en arrivant devant la taverne de la Chouette.

Il tira les rideaux de la litière pour permettre aux filles de descendre.

Une odeur de chou rance et de sueur flottait dans l'air. Flavia sentit un liquide couler sur son épaule. Elle cria mais ce n'était que du linge en train de sécher.

– Bulbus et Caudex nous protégeront au cas où, sourit-elle courageusement en essayant de ne pas respirer par le nez.

– Dépêchons-nous de trouver Feles et partons, lança Aristo.

Ils entrèrent dans la taverne. Le patron avait un bec-de-lièvre.

– Oui, répondit-il en découvrant ses dents cariées. Feles va revenir d'un moment à l'autre. Je vous sers une cruche de vin pendant que vous l'attendez ?

– Non, dit Aristo à la hâte. Pouvez-vous seulement donner un message à Feles ? Demandez-lui de venir à la villa du sénateur Cornix sur le mont Caelius. C'est une maison avec des portes bleues au pied de l'aqueduc.

– Dites à Feles, ajouta courageusement Flavia, que Flavia Gemina a besoin de son aide.

– Fais attention, Jonathan, prévint Rizpah, c'est très glissant ici.

Le tunnel était de plus en plus étroit et de l'eau coulait sur les parois. Rizpah glissait adroitement, Jonathan la suivait plus laborieusement. Son bras frottait contre les murs et le blessait mais il serra les dents et continua d'avancer.

À mesure qu'ils s'approchaient de la lumière, ils distinguèrent un bruit de cascade. Dans le tunnel, l'eau était devenue un ruisseau qui se déversait dans un bassin.

La pièce était voûtée et ressemblait à une caverne. Le sol était fait de marbre noir poli et les murs incrustés de coquillages, de pierres de lave et de fausses perles. Des stalactites de plâtre descendaient du plafond.

Des colonnes séparaient cet étrange endroit d'un jardin verdoyant.

Dans un coin de la pièce, une femme solitaire se tenait devant un métier à tisser. Comme toutes les esclaves de Titus, elle portait une tunique noire, ses longs cheveux étaient aussi brillants que de la soie.

Elle tourna la tête et Jonathan vit son profil. Elle ressemblait à Miriam. Elle avait les mêmes sourcils épais, le même nez droit et les mêmes lèvres charnues.

Il sut qu'il ne se trompait pas. Cette femme était sa mère.

Un homme apparut entre les colonnes. Il s'approcha de la femme. Elle se leva et avança vers lui. Il lui tendit les mains, elle le regardait droit dans les yeux. Elle lui posa une main sur l'épaule et l'attira contre elle comme pour le consoler.

L'homme avait les épaules carrées et des cheveux blonds. Il ne portait ni sa toge violette, ni sa couronne dorée, mais Jonathan le reconnut immédiatement.

Sa mère était dans les bras de l'empereur Titus.

ROULEAU XIX

Quand Flavia et ses compagnons rentrèrent de la taverne de la Chouette, Sisyphe les attendait dans l'atrium.

– Où étiez-vous ?

– Le conducteur de carriole qui nous a amenés ici a une petite amie esclave au palais impérial. Nous avons essayé de le trouver.

– Et alors ?

– Il n'était pas là mais, apparemment, tu as des informations intéressantes.

– Oui, oui, oui.

Sisyphe se leva et battit des mains.

– Flavia, tu te rappelles les plans de la Maison dorée que nous avons regardés ensemble ? Certains murs étaient dessinés avec des lignes doubles…

– Exact, acquiesça Flavia. Nous avons pensé qu'à cet endroit les murs étaient très épais.

– Eh bien non. Celer vient de me révéler que ces traits désignent les passages secrets !

– Mais alors, s'exclama Flavia, le palais impérial est plein de tunnels.

– Et attends, nous avons aussi remarqué deux lignes rouges qui traversaient le jardin… Ce sont les endroits où les tunnels communiquent avec l'extérieur du palais !

– Pourquoi ne m'as-tu pas dit que ma mère était amoureuse de l'empereur, Rizpah ?

Les deux enfants s'étaient réfugiés dans une cachette entre la caverne du Cyclope et la Chambre octogonale.

– Parce que ce n'est pas vrai. Toutes les femmes le croient mais elles se trompent.

– Il suffit de les regarder, protesta Jonathan d'une voix aigre.

– Ils sont amis, c'est tout. Il vient la voir tous les jours mais il ne reste jamais la nuit. Parfois, je me cache et je les écoute parler.

– Depuis quand est-ce que ça dure ?

– Depuis que Bérénice est partie. Six mois.

Jonathan s'adossa contre la paroi humide. Pendant toutes ces années, il avait cru sa mère morte, mais elle était là, à moins de quinze milles[1] d'Ostia. Et Titus, le plus grand ennemi des juifs, la voyait chaque jour depuis six mois, lui tenait la main, la regardait.

Jonathan avait du mal à respirer. Il ferma les yeux, essayant de se rappeler ce jour où il avait rencontré Titus sur la plage de Stabia, un mois plus tôt.

_____
1. Unité de longueur qui vaut 1 000 pas, soit 1 481,5 m.

Titus était rentré rapidement à Rome. Pour être avec elle ?

Jonathan rouvrit les paupières.

Tout ce que son oncle Simon lui avait dit prenait sens à présent.

Face à Jonathan, appuyée contre le mur, Rizpah le regardait sans ciller. Des chiffons étaient entassés près d'elle, son lit sans doute. Il y avait aussi quelques tranches de pain noir et une cruche de céramique.

– Rizpah, il faut que je te dise quelque chose, tu es la seule à qui je peux en parler.

– D'accord mais d'abord, bois, dit-elle en lui tendant la cruche.

Il avala une longue gorgée d'eau et reposa la cruche. Rizpah coupa un morceau de pain.

– Et mange ça.

– Je ne peux pas, je vais vomir.

– Non, tu ne vomiras pas.

Rizpah parlait d'une voix ferme. Elle lui posa le pain dans la main.

– Mange.

Le pain était un peu élastique mais avait goût de miel. C'était bon.

– Il te faut encore quelque chose, dit Rizpah.

– Quoi ?

Rizpah fouilla dans la pile de chiffons et en extirpa une boule de poils gris qui miaula.

– Un chaton ! s'exclama Jonathan.

La mère du chaton sortit la tête de sous les chiffons et regarda Jonathan. Puis elle repartit s'occuper du reste de sa portée.

Jonathan serra délicatement la minuscule créature contre lui. Le chaton était chaud, Jonathan le caressa et il commença à ronronner.

– C'est incroyable, murmura-t-il.

– Quoi ? demanda Rizpah.

– Qu'une aussi petite chose puisse faire autant de bruit…

Et Jonathan éclata en sanglots.

– Oui, j'ai été esclave dans la Maison dorée, racontait Huldah, la petite amie de Feles. Mais la reine Bérénice ne m'aimait pas et elle m'a envoyée au palais impérial sur le mont Palatin. C'est beaucoup mieux comme ça. J'ai un jour de repos par semaine et je vois Feles quand je vais au marché.

Feles et Huldah étaient arrivés à la cinquième heure, juste à temps pour le dîner.

Flavia fronça les sourcils.

– Mais le palais impérial fait bien partie de la Maison dorée ? Elle s'étend sur trois collines, non ?

Huldah haussa les épaules et mordit dans son morceau de poulet. Elle était très jolie avec son visage ovale et ses yeux en amande.

– Moi, tout ce que je sais, dit-elle, la bouche pleine, c'est que ce que nous appelons la Maison dorée n'est pas sur le mont Palatin mais sur le mont Esquilin. De l'autre côté du nouvel amphithéâtre.

– La tente aux banquets ! s'exclama Sisyphe. Celer m'en a parlé. Dans cet endroit, il n'y a rien d'autre que des salles de réception toutes plus incroyables les unes que les autres !

– Et qui vit dans cette partie de la Maison dorée ? demanda Aristo.

– Avant, c'était Bérénice. Comme ça, elle était assez loin du palais officiel pour rester discrète mais suffisamment proche de Titus pour pouvoir lui rendre visite. Après la destruction de Jérusalem, Titus nous a offertes à elle.

Huldah prit une poignée d'olives.

– Bérénice prenait soin de nous, continua-t-elle. Nous tissions de magnifiques tapis tout en nous racontant des histoires et, quelquefois, nous avions de la musique. Certaines femmes avaient leurs enfants avec elles. Elles leur donnaient des cours elles-mêmes. Et Titus nous laissait observer shabbat[1] et les autres fêtes.

Elle remplit son verre de vin et lança :

– Il ne nous manquait qu'une chose : des hommes !

– Est-ce que tu es retournée là-bas ?

– Jamais de la vie ! De toute façon, une fois que vous êtes sortis de la Maison dorée, vous ne pouvez

---

1. Jour de repos hebdomadaire pour les juifs. Il commence le vendredi soir à la tombée de la nuit et s'arrête le samedi soir.

pas y retourner comme ça. Il faut d'abord se puri-fier.

– Alors personne n'y va ?

– Personne à part Titus et des musiciennes. Il a de terribles maux de tête et seule la musique le sou-lage. Ah oui ! et quelquefois, nous avions des enfants jongleurs ou musiciens. Mais jamais d'hommes. Nous étions un peu comme le harem de Titus, sauf qu'il ne rendait visite qu'à Bérénice !

– Pourquoi Bérénice t'a-t-elle renvoyée ? demanda Aristo. À moins que ce ne soit indiscret, se hâta-t-il d'ajouter.

Huldah le regarda à travers ses longs cils et sourit.

– Bérénice était jalouse de moi. J'avais quinze ans, elle en avait au moins cinquante ! Elle a surpris Titus en train de me reluquer un jour et *ecce*[1] ! J'ai été éjectée en moins de temps qu'il n'en faut pour le dire !

Lupus pouffa.

Feles se tourna vers sa fiancée.

– Tu es assez belle pour être impératrice !

Huldah lui donna un coup dans les côtes.

– Oh toi alors !

Elle but une longue gorgée de vin et s'essuya la bouche du revers de la main.

– Tu sais bien que je n'aime que toi, gros malin !

Elle serra Feles contre sa poitrine et lui mordilla l'oreille.

1. Mot latin qui signifie « voilà ».

– Je ne sais pas ce que je deviendrais sans toi, maintenant !

Autour de la table, Aristo et Lupus étaient béats devant Huldah. Même Caudex et Bulbus étaient sous le charme. Sisyphe cligna de l'œil vers Flavia et elle s'éclaircit la gorge :

– Huldah, y avait-il une femme parmi les femmes de Jérusalem nommée Susannah ? Susannah ben Jonah ?

– Il y a deux ou trois Susannah, dont une que l'on appelle Susannah la Belle. Mais elle est beaucoup plus vieille que moi et je ne la trouve pas si jolie que ça !

Huldah se passa la main dans les cheveux et se leva.

– On s'en va, Feles. Je vais avoir des problèmes si je ne rentre pas tout de suite.

Jonathan sécha ses larmes. Les pleurs l'avaient un peu soulagé. Sa mère était l'esclave de l'empereur mais au moins elle était en vie. Il restait donc de l'espoir. Il pourrait peut-être la sauver et la ramener à la maison.

Il berça le chaton et prit une autre tranche de pain.

– Raconte ce que tu voulais me dire, demanda Rizpah.

Jonathan mordit dans un morceau de pain.

– Tu connais la reine Bérénice... commença Jonathan.

– Depuis que je suis née. Mais elle est partie, il y a six mois.

– Elle est gentille ?

Rizpah haussa les épaules.

– Elle nous traitait bien, mais elle ne parlait que de Titus et du jour où elle serait impératrice. Quand Vespasien est mort et que Titus est devenu empereur, elle est revenue, mais il n'a pas voulu la voir.

– Oui, acquiesça Jonathan en repensant à ce que lui avait expliqué son oncle Simon. Le mois dernier, après avoir été renvoyée une deuxième fois par Titus, Bérénice est allée à Corinthe. Elle a prétendu vouloir acheter des gardes du corps pour l'empereur mais, en réalité, elle cherchait à envoyer des assassins à Rome.

Rizpah fronça les sourcils.

– Elle voulait tuer Titus ? Mais elle l'aime. Et puis, s'il meurt, elle ne pourra jamais devenir impératrice.

– Non, elle voulait tuer la femme dont elle pensait que Titus était tombé amoureux.

– Ta mère ! s'écria Rizpah, les yeux écarquillés.

– Mon oncle ne m'a pas raconté tous les détails, mais Bérénice doit se dire que si ma mère meurt, Titus reviendra la chercher pour en faire son impératrice. Ce que Bérénice ignore, c'est qu'un des trois assassins qu'elle a choisis est le propre frère de ma mère.

– Dieu doit l'avoir en sa protection, chuchota Rizpah.

– C'est aussi ce que mon oncle pensait. Quand Bérénice lui a demandé d'aller à Rome tuer une femme nommée Susannah la Belle, il s'est tout de suite dit que c'était peut-être sa sœur. C'est pour ça qu'il a accepté de risquer sa vie. Il voulait la prévenir. Il a tout fait pour arriver avant les deux autres assassins.

– Pourquoi ton oncle était-il déguisé en musicien ? Pourquoi ne s'est-il pas contenté de prévenir Titus ?

– Bérénice a dit à mon oncle et aux deux autres qu'elle avait un espion au palais, une personne haut placée. Elle les a prévenus que cet espion les tuerait immédiatement s'ils essayaient de donner l'alerte à Titus.

Rizpah se mordit la lèvre.

– Mon oncle essayait d'approcher Titus, continua Jonathan, mais Domitien nous a démasqués avant. Maintenant, ils ont dû couper les orteils de mon oncle pour qu'il ne puisse plus marcher et ils lui ont crevé les yeux pour qu'il ne puisse pas reconnaître les autres assassins. Et tout est ma faute. Tout.

ROULEAU XX

—Pourquoi dis-tu cela ? demanda Rizpah à Jonathan.

Jonathan s'essuya les yeux.

—Nous vivions à Jérusalem mais, quand les armées romaines nous ont encerclés, mon père s'est rappelé une prophétie : « Le jour où tu verras Jérusalem entourée d'armées, tu sauras que la fin est proche. » Il a immédiatement décidé de partir. Il nous a emmenés, ma sœur Miriam et moi, dans un village proche nommé Pella[1]. Mais ma mère a refusé de nous accompagner.

—Pourquoi ?

—Je ne sais pas. Tout ce que je sais, c'est que c'est à cause de moi.

—Tu n'étais encore qu'un bébé.

—Je sais mais la semaine dernière j'ai entendu mon oncle Simon dire à mon père : « Elle a choisi de

---

1. Ancienne ville située dans la Jordanie actuelle. Refuge des premiers chrétiens après la prise de Jérusalem.

rester à cause de Jonathan.» Je suis sûr et certain qu'il parlait de ma mère. Mon père pleurait.

Rizpah regarda Jonathan caresser le chaton.

– C'est pour ça que tu as risqué ta vie pour sauver ta mère.

– Oui. Je trouverai un moyen de la faire sortir d'ici et de la ramener à la maison.

– Là !

Flavia tenait la carte.

– Cette entrée par le lac mène à la Chambre octogonale. C'est par là que nous allons entrer.

– C'est terriblement excitant ! s'exclama Sisyphe.

Flavia le regarda.

– Sisyphe, rappelle-toi les propos de Huldah. Seuls les femmes et les enfants peuvent entrer dans la Maison dorée.

Aristo donna du poing sur la table.

– Tu ne crois tout de même pas que nous allons vous laisser y aller seules !

– Jonathan est notre ami. Nous devons le sauver.

– Flavia, je m'inquiète autant que toi pour Jonathan, mais je ne peux te laisser partir sans moi.

– Laisse-moi essayer. Nous n'arriverons sans doute même pas à entrer dans les jardins. C'est juste pour voir et après on revient. Je te promets de ne rien entreprendre sans ta permission. S'il te plaît, Aristo.

– Tu es sûr que ton oncle est le seul à savoir à quoi ressemblent les autres assassins ? demanda Rizpah.

Il faisait très sombre à présent, dans la cachette.

– Oui. Mais il me les a décrits. Le premier s'appelle Elezar, il est gros et ses cheveux sont roux. Il a une cicatrice sur le front. Le deuxième s'appelle Pinchas, il est petit avec les cheveux noirs. Il a un œil bleu et un œil marron. Heureusement que les hommes n'ont pas le droit de pénétrer dans la Maison dorée, ajouta-t-il.

Il y eut un silence.

– Ce n'est pas tout à fait vrai, murmura Rizpah après un instant.

Lupus, Flavia et Nubia jouaient à la balle, pendant qu'Aristo et Sisyphe discutaient à côté en regardant le nouvel amphithéâtre. Normalement, les enfants auraient dû se lancer la balle très rapidement et aussi fort qu'ils le pouvaient, mais Lupus, Flavia et Nubia observaient le jardin en même temps.

Il était tôt, le versant du mont Esquilin était ombragé, des voix leur parvenaient des échafaudages dressés contre l'amphithéâtre.

Soudain, Flavia fit un signe à Lupus, qui envoya délibérément la balle par-dessus le mur.

– Oh zut ! s'exclama Flavia à voix haute au cas où des gardes laisseraient traîner leurs oreilles. Esclaves ! Venez nous aider !

Aristo et Sisyphe échangèrent un sourire.

– Que pouvons-nous faire, maîtresse ? demanda Sisyphe d'une voix faussement humble.

– Porte mon petit frère pour qu'il voie où notre balle est partie ! ordonna Flavia.

Aristo et Sisyphe soulevèrent ensemble Lupus qui, dépassant le haut du mur, se retrouva à regarder droit dans les yeux une femme garde.

– Aaaah ! cria-t-il en battant des bras.

Pétrifiées, Flavia et Nubia se mirent à crier à leur tour. Aristo et Sisyphe poussèrent un juron en essayant de rattraper Lupus. Ils tombèrent tous les trois sur le sol.

– Par Pollux ! lança Sisyphe en se redressant et en époussetant ses vêtements. Ma tunique mauve est couverte de poussière et d'aiguilles de pin.

Le visage de la garde apparut.

– Où vous croyez-vous ? demanda-t-elle.

– Pardon, dit Flavia d'une voix de petite fille. Notre balle est passée de l'autre côté.

– Vous ne la voyez pas ? demanda Nubia.

– C'est le jouet préféré de mon petit frère, ajouta Flavia. Il voulait la récupérer.

Lupus fondit aussitôt en larmes.

– Ne pleure pas, s'empressa de le rassurer la femme, je ne voulais pas te faire peur.

Elle s'éloigna et revint un instant plus tard, la balle à la main. Elle la jeta par-dessus le mur.

– Mais vous ne devez pas jouer ici. Vous savez pourquoi ?

Les enfants secouèrent la tête dans un bel ensemble. La femme prit une expression attendrie.

– Hier, un méchant homme aux cheveux roux a tenté d'escalader ce mur, expliqua-t-elle. Il avait un couteau très pointu, il voulait tuer l'empereur. C'est pour cela que nous surveillons cette zone avec beaucoup d'attention.

Lupus renifla et s'essuya le nez du revers de la main. Les filles acquiescèrent sagement.

– On ne jouera plus ici, promit Flavia avant de demander d'une petite voix : qu'est-il arrivé au méchant monsieur ?

– Il a été crucifié ce matin, à l'aube.

ROULEAU XXI

Jonathan se réveilla et se rappela immédiatement que sa mère était en vie. Son estomac se noua.

Blotti dans les chiffons de Rizpah, il regarda le rayon de lumière qui pénétrait dans l'étroite cachette. Les chatons miaulèrent, ils cherchaient leur mère.

Elle arriva, suivie de Rizpah à quatre pattes.

– Bon après-midi, Jonathan. Tu as dormi longtemps.

Il bâilla et changea de position en grimaçant.

Rizpah lui tendit la cruche. Elle était pleine d'une crème onctueuse qui lui rappela sa maison. Ostia. Il se demandait ce que pouvaient bien faire son père et Miriam et ses amis.

Il donna la cruche à Rizpah, qui secoua la tête.

– J'ai déjà pris mon petit déjeuner. Ça fait longtemps.

Elle s'assit en tailleur, un chaton sur les genoux. Jonathan vida la cruche et Rizpah l'approcha du museau du chaton qui en lécha avidement les bords.

Jonathan prit le chaton tigré qu'il avait nommé Ulysse et trempa son doigt dans le reste de crème. La langue râpeuse du petit animal ne fut pas longue à se mettre au travail.

– Rizpah, demanda Jonathan, tu es bien une esclave. N'es-tu pas obligée de travailler ?

– Non, les gardes ne sont même pas sûrs que je suis toujours ici. Jamais ma mère, ni les autres femmes ne me dénonceraient. Je vais partout où personne ne peut se rendre et je leur raconte tout. Avant, les gardes me cherchaient mais ils ne m'ont jamais trouvée.

Elle haussa les épaules.

– Ils ont essayé de te trouver aussi, mais ils ont abandonné, rit-elle. La femme qui donne les cours à l'école des esclaves pense que tu es tombé dans les latrines.

– Il y a des femmes qui enseignent ? s'étonna Jonathan.

Rizpah acquiesça.

– C'est incroyable qu'il n'y ait pas un seul homme ici, murmura Jonathan.

– C'est une décision de Bérénice. Elle ne voulait plus voir un seul homme dans les parages. Pas après ce qui est arrivé.

– De quoi parles-tu ?

– Jonathan, j'ai huit ans. Ma mère est Rachel. Je ne sais pas qui est mon père. Elle non plus. Nous sommes vingt-trois enfants du même âge à la Maison dorée. Tous nés en juin.

Jonathan fronça les sourcils.

– Neuf mois après la prise de Jérusalem par la légion romaine, ajouta Rizpah.

– Oh ! s'exclama Jonathan.

Rizpah embrassa son chaton sur le museau.

– Ici je suis née et ici je mourrai, lança-t-elle sur un ton qui se voulait naturel.

– Rizpah, reprit Jonathan, je dois voir ma mère. Ils ont capturé mon oncle et je suis donc le seul à connaître le but des assassins envoyés par Bérénice. Je dois prévenir ma mère. Peut-on entrer dans sa chambre autrement que par le tunnel ?

– Je savais que tu me le demanderais. Suis-moi.

Cinq musiciens ambulants, dont trois enfants attendaient devant l'entrée des esclaves du palais impérial du mont Palatin : une flûtiste, un percussionniste, une jeune fille avec un tambourin, un homme portant une lyre et un autre qui tenait une gourde emplie de lentilles. Ils avaient tous des couronnes de fleurs et des tuniques de couleurs différentes. Ils venaient de jouer et guettaient un éclat dans l'œil des hommes qui leur faisaient face.

Celui au visage très blanc donna un petit signe de tête et les fit entrer dans le palais.

À la suite de Rizpah, Jonathan sauta dans un couloir en contrebas. Le plafond voûté éclairait d'une lumière douce les fresques pourpres, azur et terre de Sienne. Gênée par la luminosité pourtant faible, Rizpah se couvrit les yeux.

– Nous sommes dans le cryptoporticus, le couloir secret, expliqua-t-elle. Sauf qu'il n'a rien de secret. Je ne pense pas que nous croiserons qui que ce soit mais si ça arrivait, laisse-moi parler.

– Vous les hommes, vous devrez rester au Palatin, déclara Harmonius à Aristo et Sisyphe. L'empereur a réclamé de la musique pour la Maison dorée qui est interdite aux hommes. Mais ne vous inquiétez pas, se hâta-t-il d'ajouter alors que les deux Grecs commençaient à protester, vous serez bien payés et bien logés. Quand les enfants auront terminé, ils seront ramenés ici. Puis vous pourrez jouer pour Domitien.

– Mais qui s'occupera d'eux à la Maison dorée ? s'inquiéta Aristo.

– Mon cher, ils seront sous la protection de l'empereur, que leur faut-il de mieux ?

– Il est avec elle, souffla Jonathan, pourquoi reste-t-il là ? Il doit pourtant régner sur un empire !

– Quelque chose a dû se passer, répondit Rizpah. Il semble bouleversé. Habituellement, il ne vient que très tôt le matin ou tard le soir.

Jonathan regarda sa mère et l'empereur. Ils étaient assis face à face dans l'ombre du péristyle, sur d'élégants fauteuils sculptés.

À cause du bruit de la fontaine, Jonathan ne pouvait distinguer leurs propos. Il n'entendait que la toux de sa mère.

– Elle est malade, dit-il. Si mon père était là, il lui prescrirait un médicament.

Rizpah lui posa la main sur l'épaule.

– Toutes les tisserandes toussent, le rassura-t-elle. Ma mère affirme que c'est à force de respirer des petits morceaux de laine.

– Elle pleure ! s'exclama Jonathan. Titus l'a fait pleurer.

– Chut, s'il t'entend, tu ne la verras plus jamais. Regarde ! Voilà Benjamin.

Un jeune esclave s'approchait. Il avait à peu près l'âge de Rizpah. Ses cheveux étaient brillants et sa tunique impeccable.

Titus leva les yeux vers lui. Le garçon courba respectueusement la tête et prononça quelques mots. Jonathan réussit à entendre « musiciens ».

Titus se tourna vers Susannah et se leva. Accompagné de l'esclave, il partit vers la Chambre octogonale.

La mère de Jonathan les regarda s'éloigner, ferma les yeux un long moment puis se dirigea dans le jardin ensoleillé, vers le buisson derrière lequel se dissimulaient Jonathan et Rizpah.

ROULEAU XXII

Par Junon, s'exclama Flavia. Regardez ça !
— Elle écarta le rideau pourpre de la litière impériale et ses amis se penchèrent pour jeter un coup d'œil à l'extérieur.

Devant eux se dressait un immense palais entouré de colonnes dorées qui scintillaient dans la lumière du soleil déclinant.

— Il doit y avoir au moins mille colonnes, s'extasia Flavia. Vous croyez qu'elles sont vraiment en or ?

Lupus secoua la tête et fit le geste de peindre.

— Tu crois ? En tout cas, maintenant, on sait pourquoi cet endroit s'appelle la Maison dorée.

Au-dessus des toits rouges du palais, on apercevait des fontaines, des colonnes blanches cannelées et sept palmiers plantés en cercle.

— Par Junon, s'exclama de nouveau Flavia, un paon !

— Regarde, murmura Nubia, il a déployé sa queue !

Les yeux écarquillés, Lupus admirait ce spectacle pour la première fois. Derrière les buissons, un deuxième paon lança son cri aigu.

La litière avait maintenant atteint le haut de l'escalier de marbre. Les enfants admirèrent les miroirs d'eau[1]. Des oiseaux au plumage rose et au bec crochu marchaient dans l'eau entre les massifs de papyrus et les nénuphars.

Nubia marmonna.

– Que dis-tu ? lui demanda Flavia.

– Ces oiseaux viennent de mon pays.

Les quatre esclaves déposèrent la litière devant les colonnes blanches. Flavia descendit et remarqua que les porteurs étaient en fait des porteuses. Les femmes les guidèrent jusqu'à la Chambre octogonale.

– Installez-vous là, dit l'une d'entre elles en désignant une estrade au milieu de la pièce. Jouez six morceaux de musique, faites une pause et jouez-en six de plus. Ensuite, nous vous ramènerons au Palatin. Oh, si l'empereur vient, vous n'avez aucun besoin de le saluer. Faites comme si vous ne le voyiez pas. À moins bien sûr qu'il ne s'adresse directement à vous.

– Parfait, acquiesça poliment Flavia.

Ils allèrent sur l'estrade et s'assirent sur les coussins de velours rouge.

– Voilà, souffla Flavia. Gardons les yeux bien ouverts.

---

1. Bassin de forme géométrique.

Susannah la Belle approchait. Jonathan retint sa respiration.

Susannah porta soudain la main à sa poitrine.

– Oh, Rizpah ! tu m'as fait peur, s'écria-t-elle en araméen. Tu ne devrais pas te glisser derrière les buissons de cette façon.

– Pardon, Susannah.

Rizpah se leva en se protégeant les yeux des mains.

– Qui est-ce ? demanda Susannah en regardant Jonathan avec intérêt.

Mais, avant que Rizpah ait eu le temps de répondre, Susannah écarquilla les yeux.

– Jonathan !

Nubia jeta un coup d'œil à Lupus et à Flavia pour s'assurer qu'ils étaient prêts. Puis elle porta sa flûte à ses lèvres.

Ils jouèrent d'abord la « Chanson des voyageurs » du pays de Nubia. Puis ils entamèrent « Le Corbeau et la Colombe », de leur amie Clio. Sous les doigts lestes de Nubia, cette chanson populaire prit une teinte exotique.

Nubia posa sa flûte pour chanter la « Chanson des chiens » pendant que Lupus l'accompagnait aux percussions, puis ils terminèrent tous ensemble par deux mélodies composées par Nubia : la « Chanson du marin » et la « Chanson de l'esclave ». Cette dernière lui arrachait toujours une larme et, quand elle leva les yeux, elle vit que la plupart des femmes avaient les joues mouillées.

Un homme, que les trois musiciens ne remarquèrent pas tout de suite, se tenait appuyé contre une colonne dorée.

Il avait les yeux fermés. Nubia le reconnut immédiatement.

Jonathan essaya de ne pas crier quand sa mère le prit dans ses bras mais il ne put retenir une grimace.

– Oh, Jonathan ! Je t'ai fait mal !

Susannah regarda, horrifiée, son épaule marquée.

– Titus ne m'a pas dit que tu avais été marqué !

Jonathan recula brusquement.

– Comment Titus a-t-il pu te parler de moi ?

Elle s'était exprimée en araméen, il lui répondait en latin.

– Ils t'ont cherché partout, murmura-t-elle en latin à son tour. Simon nous a raconté comme tu avais été courageux…

– Simon ? Il va bien ? Ils ne l'ont pas torturé ?

– Non, non.

Susannah s'approcha de son fils et prit son visage dans ses mains. Il sentit son parfum. Plus rien à voir avec le citron. Plutôt essence de rose.

– Ton oncle Simon va bien. Il est au Palatin. Josephus a prévenu Titus pour qu'il ne soit pas torturé.

–Josephus !

Jonathan se dégagea.

–C'est l'homme qui nous a dénoncés.

–Josephus ignorait que Simon venait pour m'aider. Il a cru qu'il voulait assassiner l'empereur. Josephus est fidèle à Titus.

–Comme toi, fit remarquer sarcastiquement Jonathan.

–Jonathan, Titus est un homme bon.

–Il a assassiné des milliers de juifs, détruit Jérusalem et brûlé le temple de Dieu, cria Jonathan.

–Et il en est désolé.

–Désolé ! Parfait, alors tout va bien ! Tu peux donc l'embrasser sans te poser de questions !

Jonathan luttait contre les larmes.

–Je suis venu pour te prévenir, pour te sauver, pour te ramener auprès de Père et de Miriam et je te trouve dans les bras de ce monstre !

–Jonathan, mon fils, mon fils chéri et adoré…

Susannah prit les mains de son fils dans les siennes.

–Comment vont-ils ? Comment vont Miriam et ton père ?

Lupus observait une des esclaves. Il l'avait remarquée avant même de commencer à jouer. Était-ce la mère de Jonathan ? Non, elle n'avait aucun trait du visage de Miriam.

Peut-être l'avait-il croisée auparavant ?

Presque toutes les autres femmes avaient les paupières closes, mais celle-ci ne semblait pas le moins du monde émue.

Elle dut sentir le regard du jeune garçon. Elle se couvrit le visage de son foulard. Pendant une seconde, leurs yeux se rencontrèrent.

Son œil droit était vert et l'autre bleu.

J e n'ai plus de chansons, murmura Nubia à
l'oreille de Flavia. Ils vont se rendre compte
que nous ne sommes pas de vrais musiciens.

–Ne t'inquiète pas, la rassura son amie. Nous
n'avons qu'à rejouer les mêmes.

L'empereur s'approchait de leur estrade. La
femme aux yeux étranges s'était levée. Une autre
femme lui prit la main, mais elle se dégagea.

L'empereur était maintenant devant eux. Il
s'adressa à Flavia. Lupus ne l'écoutait pas, il observait la femme qui se dirigeait vers les colonnes. Elle
disparut de son champ de vision.

Rizpah était partie. Jonathan était seul avec sa
mère. Il s'assit sur le fauteuil que l'empereur avait
occupé quelques instants plus tôt et laissa sa mère
lui prendre les mains.

Il raconta en hébreu son enfance loin d'elle, leur
arrivée à Rome, puis à Ostia. Il lui parla de Flavia,
Lupus et Nubia. Il lui dit que Miriam était fiancée à
un fermier romain qui avait sans doute perdu tout ce

qu'il possédait lors de l'éruption du Vésuve. Il ajouta que son père allait bien mais qu'il était extrêmement seul.

Et il décrivit ce rêve où il la voyait dans la caverne du Cyclope attendant d'être secourue.

– Maman, c'est à cause de moi que tu es restée à Jérusalem, mais cette fois, je vais te sortir d'ici.

– Pourquoi crois-tu que je suis restée à cause de toi ?

– J'ai entendu Simon le dire à Père.

Susannah tourna son visage vers la caverne du Cyclope et soupira.

– Ainsi, il est au courant.

– De quoi parles-tu ?

Les yeux de Susannah étaient pleins de larmes.

– Tu n'es responsable de rien, mon fils. Tu n'étais à l'époque qu'un tout petit enfant. Un adorable petit enfant.

– Je… je ne comprends pas.

Susannah se leva, marcha jusqu'à son métier à tisser et passa la main sur un morceau de laine.

– J'ai très mal agi, Jonathan. J'aurais voulu que jamais ni toi, ni Miriam, ni ton père ne l'appreniez.

– De quoi parles-tu, Maman ?

Susannah le regardait. Un bruit derrière Jonathan attira son attention, il se retourna. Une silhouette se découpait dans l'encadrement de la porte. Une des esclaves, le visage couvert d'un foulard, se dirigeait vers eux. Une des femmes était-elle venue proposer son amitié à sa mère ? se demanda Jonathan.

Mais soudain, il remarqua le long poignard qu'elle tenait à la main.

– Aiiiiee !

Lupus donna un coup de pied à l'assassin juste derrière les genoux. L'homme s'écroula.

Lupus roula sur le côté, se redressa et lui arracha son foulard avant de le frapper en plein visage.

La couronne de fleurs du jeune garçon lui avait glissé sur les yeux, il la jeta et se pencha sur l'agresseur. Il avait deviné juste : c'était un homme.

Mais déjà l'assassin se redressait et cherchait son poignard des yeux.

Il le ramassa et… un coup de pied lui fit lâcher prise. Le poignard vola à travers la pièce pour atterrir sur les marches de marbre.

– Lupus ! cria Jonathan.

Lupus n'en croyait pas ses yeux. C'était bien Jonathan. Amaigri, certes, le crâne rasé, mais c'était lui.

L'assassin s'était ressaisi. Lupus se jeta sur lui et, pour la deuxième fois, il le frappa derrière les genoux. L'homme tomba à quatre pattes.

– Jonathan !

C'était une voix de fille. Lupus vit une petite silhouette prendre le couteau par terre et le lancer vers Jonathan.

Toujours à quatre pattes, l'homme leva la tête. L'arme serrée dans son poing, Jonathan respirait avec difficulté. Une femme cria. Des bruits de pas résonnèrent, Lupus entendit les grelots du tambourin.

L'assassin se leva brusquement, courut vers le jardin, le traversa et disparut vers l'entrée du palais.

Lupus se lança à sa poursuite.

Jonathan se précipita vers sa mère.

– Viens, Maman, je connais un endroit où nous serons en sécurité.

– Il est là ! entendit-il tout à coup dans son dos.

Il se retourna. Flavia et Nubia couraient dans le jardin ensoleillé. Elles portaient toutes les deux des couronnes de fleurs enrubannées et Flavia tenait un tambourin. Jonathan, dissimulé dans l'ombre de la caverne, derrière le métier à tisser de sa mère, était invisible à leurs yeux.

Deux femmes arrivèrent derrière Flavia et Nubia, suivies de l'empereur lui-même. Il était rouge et haletant.

– Titus ! murmura la mère de Jonathan.

Elle fit un pas en avant mais Jonathan la retint fermement et l'entraîna.

– Où allons-nous ? demanda-t-elle.

Il la poussa dans une petite pièce triangulaire et s'arrêta pour reprendre sa respiration.

– Ici, nous serons tranquilles. Tout à l'heure, Rizpah nous montrera comment fuir.

164

Sans lui lâcher la main, il se tourna vers elle.

– Mais d'abord, raconte-moi cette chose que tu as faite. Pourquoi n'as-tu pas quitté Jérusalem avec nous ?

Sa mère baissa la tête.

– C'est à cause d'un homme, murmura-t-elle.

– Un homme ?

– Un homme que j'aimais.

Jonathan laissa tomber la main de sa mère.

– C'était un combattant de la liberté. Chacun connaissait son nom : Jonathan le Zélote.

– Jonathan ?

Jonathan sentit que sa tête tournait.

– Est-ce que tu m'as donné son nom ?

Susannah acquiesça.

Jonathan sentit un grand froid l'envahir. Il prit une grande inspiration avant de murmurer :

– Est-ce que c'est lui, mon vrai père ?

ROULEAU XXIV

I l est là ! cria Flavia.

— Lupus avait sauté de l'estrade, Flavia et Nubia l'avaient suivi sans hésitation. Mais il avait disparu derrière les colonnades. Une femme avait poussé un cri, elles s'étaient dirigées au bruit.

— Il est là ! avait de nouveau crié Flavia.

Deux esclaves et Titus les avaient rejoints.

Flavia courut à la suite de Lupus à travers une grande pièce voûtée. Ils étaient à l'entrée du palais.

Flavia s'arrêta et s'appuya contre une des colonnes dorées pour reprendre son souffle. L'assassin s'était jeté dans le bassin en effrayant les oiseaux au plumage rose.

Soudain, l'homme glissa et tomba dans un grand éclaboussement. Sa longue robe alourdie l'empêchait de reprendre son équilibre. Lupus se jeta sur lui. L'assassin se retourna pour le frapper.

Flavia et Nubia se précipitèrent à son aide.

Lupus était tombé dans le bassin. Il se redressa et s'ébroua. L'assassin était déjà dans l'escalier et s'apprêtait à atteindre le premier étage.

Lupus, Flavia et Nubia s'empressèrent à sa suite, mais il se jeta derrière un rideau de palmiers assez épais pour le dissimuler entièrement.

Flavia se rappela soudain le plan du palais qu'elle avait étudié avec Sisyphe. Les palmiers dissimulaient un puits profond.

– Lupus, attention ! hurla-t-elle.

Lupus l'entendit mais l'assassin aussi. Il s'arrêta brusquement, se retourna. Et se rendit compte que son poursuivant était un enfant.

Flavia devait réagir avant que l'homme n'attaque Lupus. Elle lui jeta son tambourin en plein visage, comme un disque. L'homme vacilla et battit des bras pour tenter de retrouver son équilibre.

Puis il disparut.

Il était tombé dans le puits. Lupus, essoufflé, se laissa aller sur les genoux. L'empereur et quelques esclaves arrivèrent et se penchèrent au-dessus du puits. L'homme en noir gisait six mètres plus bas, désarticulé, le cou sans doute brisé.

Dans la chambre triangulaire, Jonathan répéta sa question :

– Jonathan le Zélote était-il mon vrai père ?

– Non. Ton père est Mordecaï. Je ne lui ai pas été infidèle.

Elle baissa les yeux avant d'ajouter :

– Pas à ce moment-là.

– Quand ?

Susannah fixait le mur décoré d'une fresque représentant Vénus.

– Jonathan est le premier homme que j'ai rencontré et qui n'était pas un proche parent, expliqua-t-elle. J'avais quatorze ans et lui, dix-sept, un peu plus que Simon. Ensemble, ils avaient jeté des pierres aux Romains et s'étaient fait poursuivre par des soldats. Un jour, ils sont arrivés en trombe dans la maison et je les ai cachés. Jonathan avait la main blessée, je l'ai soigné. Simon est parti quelques instants pour s'assurer que la voie était libre, Jonathan m'a embrassée. Il m'a dit que j'étais la plus jolie femme qu'il avait jamais vue. Il m'a demandée en mariage. Il était jeune, courageux, beau… Toutes les jeunes filles de Jérusalem murmuraient son nom. J'ai été éblouie.

Jonathan se trémoussa, mal à l'aise.

– Quelques jours plus tard, a repris Susannah, mon père m'a annoncé qu'un homme avait demandé ma main. J'étais folle de joie. Puis mon père m'a dit que c'était un médecin et qu'il avait vingt-sept ans et j'ai senti mon cœur se briser. Je n'ai plus entendu parler de Jonathan. J'ai donc épousé ton père. Il était très gentil. Nous nous sommes installés chez lui et je vous ai eus, ta sœur et toi. Je n'étais pas malheureuse. Pas du tout.

– Tu n'étais pas malheureuse, a répété Jonathan d'une voix morne.

– Miriam est née l'année où la rébellion a commencé. Au même moment, ton père a rejoint cette secte, les chrétiens. Alors que Jonathan le Zélote était admiré pour ses actes de bravoure, Mordecaï affirmait que nous devions aimer nos ennemis...

–Continue, dit Jonathan.

–Un jour, alors que j'étais en visite chez mes parents, Jonathan et Simon sont revenus d'une mission secrète. Je n'avais pas vu Jonathan depuis cinq ans. Je l'ai observé, cachée derrière une porte à persiennes. Jonathan a expliqué à mon père que les chrétiens quittaient la ville. «Ils vont se réfugier en Jordanie. Ton gendre se joindra-t-il à ces lâches?» Mon père n'a pas répondu mais il serrait les dents puis il a lancé : «J'aurais dû accepter quand tu m'as demandé la main de Susannah. Je ne voulais pas d'un zélote pour gendre mais ç'aurait été mieux qu'un de ces fous qui pensent que Dieu a un fils!» À ce moment, j'ai compris que Jonathan avait vraiment voulu m'épouser.

Susannah fit une pause.

–Quand mon père est parti, je suis entrée dans la pièce. Jonathan s'est jeté dans mes bras. Il m'a juré qu'il n'avait jamais cessé de m'aimer. Nous avons beaucoup parlé et quand je suis rentrée chez moi, j'ai trouvé ton père sur le départ. Il m'a suppliée de l'accompagner mais j'ai refusé, arguant que mon père m'avait interdit de fuir. Je l'ai laissé partir. Avec toi et Miriam.

–Tu aimais ce Jonathan plus que nous, lâcha Jonathan d'une voix amère.

–Je n'étais pas vraiment amoureuse de lui. J'étais ailleurs. La semaine suivante, les portes de Jérusalem ont été fermées et l'armée de Titus nous a encerclés. Jonathan et moi avons vécu en secret chez moi. J'étais adultère, ce qui est puni de mort. Puis la famine s'est installée. Un mois plus tard, Jonathan a disparu. J'ai appris qu'il était mort en se battant pour une mule morte. Une mort courageuse, conclut-elle tristement.

Elle se tourna vers Jonathan. Ses yeux étaient secs.

–Voilà pourquoi je ne suis pas venue avec vous.

–Mais, maintenant, tu vas venir. Je suis là pour te sauver.

–Jonathan, mon chéri. Je ne peux pas te suivre. Je dois rester.

–Pourquoi ?

–Titus a besoin de moi.

–Nous avons besoin de toi ! J'ai besoin de toi. J'ai fait tout ce chemin pour te retrouver et te ramener à la maison.

–Je ne peux pas.

Pâle, amaigri, le bras marqué au fer rouge, Jonathan ressemblait à un esclave. Pourtant une lueur farouche brillait dans ses yeux.

–Me pardonneras-tu, Jonathan ?

Il la fixa. Il avait risqué sa vie pour elle et elle refusait de partir avec lui. Comme elle avait refusé de suivre son père, dix ans plus tôt.

–Jonathan ?

Il opina. Doucement. Puis il se tourna et sortit de la pièce en titubant. Il traversa le cryptoporticus en courant. Ses yeux étaient emplis de larmes. Il ne s'arrêta que lorsqu'il atteignit le recoin le plus sombre du palais.

– **F**lavia Gemina, lança l'empereur en s'essuyant le front.

Elle le regarda, ébahie.

– Comment connaissez-vous mon nom ?

– J'ai une excellente mémoire, répondit-il,
essoufflé. Je t'ai rencontré au camp de réfugiés, au
sud de Stabia. Ton oncle Flavius Geminus était avec
toi…

– C'est vrai, acquiesça Flavia.

– Et voilà ta jeune esclave, Sheba.

– Nubia.

– C'est cela, Nubia.

Il regarda Lupus.

– Et Lupus… au prénom si peu courant.

– Incroyable, s'extasia Flavia. Vous n'avez
oublié aucun d'entre nous.

– Je dois avouer, reconnut l'empereur, que
Simon, l'oncle de Jonathan, m'a parlé de vous.

– Simon ! s'écria Flavia. C'est un assassin. Il
avait l'intention de vous tuer. Comme cet homme
qui vient de mourir !

L'empereur sourit.

–Non. Mais j'apprécie ta loyauté envers moi. En fait, Simon est venu me prévenir. L'homme était venu assassiner sa sœur.

–Oh si ! il avait l'intention de te tuer aussi, lança une voix de femme, pleine de haine.

Les femmes de la Maison dorée avaient formé un cercle autour de celle qui venait de prendre la parole.

Titus s'avança vers elle.

–Je m'appelle Rachel, dit-elle. Je suis ton esclave depuis dix ans. Cet homme, l'assassin, s'appelait Pinchas. Je ne le connais que depuis quelques heures, mais je sais qu'il était courageux. Il avait fait partie des combattants de la liberté. Bérénice l'avait engagé pour tuer Susannah, mais après, il était chargé de te tuer aussi. C'était un héros. Tu n'es qu'un porc !

Elle cracha au visage de Titus.

Titus fit une chose que jamais Flavia n'oublierait.

–Peut-être ne croiras-tu pas cela, Rachel, répondit-il en s'essuyant la joue avec un mouchoir, mais je préférerais mourir plutôt que de tuer encore. Je suis désolé que cet homme soit mort.

Il regarda les femmes.

–Je suis désolé pour tout ce que j'ai fait à votre pays et à votre peuple. Vous n'êtes pas mes esclaves mais celles de Bérénice, qui ne reviendra jamais.

J'aurais dû faire ceci depuis longtemps déjà : vous êtes libres. Vous pouvez rester ici, sous ma protection, et vous recevrez des gages pour votre travail. Vous pouvez également partir.

Il s'apprêtait à quitter la pièce quand il ajouta :

– Si vous restez, je vous autoriserai à vous marier. Bérénice voulait vous protéger en ne vous laissant pas voir d'hommes, car elle vous aimait. Mais je crois que les temps ont changé.

Il se tourna vers Flavia et ses amis.

– Venez. Partons à la recherche de votre ami Jonathan.

Jonathan resta caché un long, très long moment. Recroquevillé sur lui-même. Ses pensées tournaient dans sa tête, comme des chars dans un cirque. Il s'endormit et rêva de son enfance. Il ne se réveilla que pour se rendormir plus profondément.

De temps en temps, quelqu'un déposait une cruche remplie d'eau près de lui, sans un mot.

Finalement, la faim le fit sortir de sa tanière.

Il rampa le long du tunnel. Sa gorge se contractait, son estomac se vrillait. Il finit par atteindre le cryptoporticus.

Une silhouette l'attendait. Sa tunique flottait autour d'elle, luminescente, dans le contrejour.

– Rizpah ?

Elle s'approcha et lui tendit de l'eau fraîche. Elle portait un chaton gris dans les bras.

– Depuis combien de temps suis-je là ? demanda-t-il après avoir bu.

– Trois jours.

– C'est tout ! s'étonna Jonathan. J'ai cru que c'étaient des semaines. Je suis affamé. Tu n'as pas un morceau de pain pour moi ?

– Non.

Elle caressa le chaton.

– C'est jour de jeûne. Nous fêtons le Kippour. Le jour du Grand Pardon. Mais ne t'inquiète pas, nous mangerons ce soir.

Jonathan s'appuya contre le mur pour soutenir ses jambes défaillantes.

– Comment va ma mère ?

– Elle t'attend. Tout le monde t'attend. L'empereur et tes amis t'ont cherché partout. Je ne leur ai pas dit que je savais où tu étais mais je les ai rassurés sur ton état de santé.

– Tu veux bien me mener à eux ?

– Bien sûr.

Elle plissa le nez.

– Mais avant, il vaudrait mieux que tu ailles te laver.

– S'il te plaît, Mère, dis-moi pourquoi tu ne veux pas revenir à Ostia avec moi.

Dans le péristyle de la caverne du Cyclope, Jonathan était assis face à sa mère. Il avait pris un bain soufré, avant de se plonger dans un bassin d'eau glacée. Vêtu d'une tunique ample, il se sentait propre et bien dans sa peau. Pourtant, la douleur de son bras était toujours lancinante et son estomac criait famine.

Sa mère était pieds nus et habillée de blanc. Elle n'avait pas de ceinture car il est interdit de porter du cuir le jour du Grand Pardon.

– Dis-moi pourquoi, répéta Jonathan.

Susannah prit les mains de son fils dans les siennes.

– Après le début de la famine, le cauchemar a commencé pour moi. Jonathan était mort, je suis retournée auprès de mes parents. Puis Simon est devenu chrétien, comme ton père. Nous avons dû cuire nos sandales et nos ceintures pour les manger. Nos parents sont morts. Je tenais mon père dans mes bras quand il a prononcé ses dernières paroles. «Je sais que tu as commis un péché, a-t-il dit. Que Dieu me pardonne, je n'ai pas pu dénoncer ma propre fille.» Je me suis mise à pleurer. «À partir de maintenant, obéis à notre Seigneur.» J'ai promis et il a fermé les yeux pour toujours.

Susannah serra la main de Jonathan.

– Je sais que Dieu m'a épargnée pour une bonne raison. J'ai tenu ma promesse. J'ai passé ces dernières neuf années à prier en silence. J'étais sûre que vous aviez survécu. J'ai prié pour vous chaque jour. J'ai prié pour tout le monde, même pour Titus.

Jonathan respirait le parfum de rose et de myrte de sa mère.

– L'an dernier, poursuivit Susannah, Titus a renvoyé Bérénice. Mais elle lui manquait beaucoup. Il venait ici tous les jours et marchait à pas lents dans ces pièces qu'ils avaient occupées ensemble. Un jour, il est venu jusqu'à la Chambre octogonale. La plupart des femmes ont baissé les yeux dédaigneusement, mais je lui ai souri. Le lendemain, il m'a convoquée.

Le cœur de Jonathan battait la chamade.

– J'ai d'abord cru qu'il voulait que je prenne la place de Bérénice mais nous n'avons fait que parler. Il était très intéressé par la Torah. Surpris d'apprendre que notre Dieu était moral. Titus a commis de graves péchés. Aujourd'hui, il n'est pas encore converti mais presque. Nous ne sommes pas amants. Seulement amis.

Jonathan poussa un soupir de soulagement. Il y avait encore de l'espoir.

– Je veux me repentir de mes péchés, soupira Susannah. Je crois que Dieu m'a menée ici, que c'est lui qui a permis que je parle à l'homme le plus puissant du monde, tu comprends ?

Jonathan secoua la tête.

– Pas vraiment.

Soudain, Susannah s'exclama :

– Ma bague ! Où l'as-tu trouvée ?

– J'ai fouillé dans des affaires à toi que Papa cache. Je voulais savoir ce qui t'était arrivé. J'ai aussi trouvé des lettres d'amour que Papa t'avait écrites. Elles sont très belles. Il y cite Salomon…

Il s'interrompit.

– Peut-être que ce sont des lettres de Jonathan ?

– Non.

Les yeux de Susannah étaient emplis de larmes.

– C'est ton père qui m'écrivait de si jolies choses.

Jonathan ôta la bague de son doigt et la lui tendit.

– Tiens. Promets-moi que tu la porteras. Comme ça, chaque fois que tu la regarderas, tu penseras à moi.

– J'ai pensé à toi sans arrêt. Je te revoyais dans les bras de ton père. Tu me disais au revoir avec ta petite main potelée.

Les métiers à tisser avaient été enlevés de la Chambre octogonale. On avait installé de longues tables et des chaises. Le soleil se couchait et une centaine de bougies et de lampes à huile éclairaient la pièce.

Deux cents femmes et vingt-quatre enfants, tous vêtus de blanc, avaient pris place. Jonathan se trouvait entre Rizpah et un garçon du nom de Benjamin. À la droite de Rizpah, se tenait Rachel, sa mère – celle qui avait craché au visage de Titus.

Un murmure s'éleva à l'entrée de deux silhouettes.

Susannah et un homme qui n'était pas Titus.

– Qui est-ce ? demanda Jonathan à Rizpah. Je n'arrive pas à voir son visage. Les bougies ne l'éclairent pas assez.

– Je ne sais pas, il est petit et mince.

– Oncle Simon !

Oncle Simon s'assit au bout de la table et adressa un immense sourire à Jonathan.

– Avant que Susannah ne récite les prières, dit-il, j'ai quelques nouvelles de Titus à vous transmettre. Comme vous le savez, vous êtes libres, mais vous pouvez rester sous sa protection aussi longtemps que vous le désirerez. Vous serez logées à la Maison dorée et serez autorisées à vous marier.

Il les regarda.

– Vous vous demandez probablement qui je suis. Je m'appelle Simon ben Jonah et Susannah est ma sœur. Pendant six mois, vous l'avez ignorée parce qu'elle avait une relation amicale avec l'empereur. Mais aujourd'hui est le jour où Dieu nous pardonne tous nos péchés. Le jour où nous devons pardonner à nos amis ainsi qu'à nos ennemis.

La mère de Rizpah prit la parole à son tour.

– Aucune d'entre nous n'est exempte de péchés. Susannah, nous te pardonnons.

Susannah resta debout. Elle souleva son voile. Elle ressemblait tant à Miriam que Jonathan en eut les larmes aux yeux.

– Sois béni, Dieu des dieux, toi qui nous donnes ce pain pour réchauffer nos cœurs et cette huile pour que nos visages rayonnent, récita-t-elle.

Puis elle se pencha pour allumer une grande bougie.

– Mangeons et soyons heureux, ajouta-t-elle dans un sourire.

Dès la première bouchée, Jonathan se sentit plus léger.

– C'est si facile, murmura-t-il.

– Quoi ? demanda Rizpah.

– Il suffit d'un peu de nourriture pour nous redonner la force.

– Oui, acquiesça Rizpah. La nourriture est une chose magnifique.

Jonathan mordit avidement dans sa cuisse de poulet.

– Ta mère et toi allez quitter la Maison dorée ? Tes tunnels vont te manquer.

– Nous ne partons pas. Surtout si ton oncle reste dans les parages, précisa-t-elle en lançant un coup d'œil à sa mère. Je te l'ai déjà dit : ici je suis née, ici je mourrai.

La matinée du shabbat se terminait. Jonathan était encore couché quand l'empereur entra dans la luxueuse chambre du palais Palatin.

– Ne te lève pas. Je veux juste te parler.

Jonathan s'adossa à un coussin et l'empereur s'assit près de lui.

Une fresque ornait le mur de la pièce : elle représentait le retour d'Ulysse déguisé en mendiant.

– J'ai mené de nombreux combats, commença l'empereur. Je suis considéré comme un homme courageux. Mais tu as risqué ta vie pour retrouver et sauver ta mère et ça, c'est remarquable.

– Merci, marmonna Jonathan.

– Ta mère m'a beaucoup appris, poursuivit Titus. C'est une femme belle et très sage.

Puis il tendit sa main couverte de bagues et effleura la marque sur le bras de Jonathan.

– Je te demande pardon.

Jonathan haussa les épaules.

– Je suis votre esclave maintenant.

– Non. En aucun cas.

Titus sortit la bulla de Jonathan de la bourse accrochée à sa ceinture.

– Je te rends ta liberté. Et je te fais citoyen* romain.

Lentement, Jonathan prit la bulla. La citoyenneté romaine était un présent précieux.

– Tu es encore jeune, c'est pourquoi j'accorde la citoyenneté à ton père. Ainsi, toute ta famille en bénéficiera. D'ailleurs, j'ai fait sortir ton père de prison.

– Il était en prison ?

– Le magistrat d'Ostia voulait l'interroger. En tant que citoyen romain, il aura bien sûr certains privilèges.

– Merci.

L'empereur enleva une des bagues et la donna à Jonathan.

– Ceci est également pour toi. Si à cause de la marque sur ton épaule, quelqu'un pense que tu es un esclave, montre-lui cette bague. Elle prouve que tu es sous ma protection. Et si tu as besoin de quoi que ce soit, il te suffira de venir me voir.

En regardant Titus, Jonathan découvrit pour la première fois l'homme derrière l'empereur.

Chez le sénateur Cornix, Sisyphe venait de recevoir un parchemin. Il cassa le sceau et le parcourut.

Flavia ramassa le cercle de cire et reconnut immédiatement le cachet de l'empereur.

– Titus a écrit lui-même cette missive, dit Sysiphe. Il nous remercie pour notre dévouement et nous annonce que Jonathan s'est très bien remis… et qu'il est déjà sur le chemin du retour pour Ostia.

J onathan, allongé sur une natte entre Flavia et Nubia, regardait le ciel bleu turquoise entre les branches. Tigris était lové à ses pieds, sa langue rose pendante. C'était le dernier jour de septembre et les trois amis se reposaient dans le jardin de Jonathan.

– Maintenant, tu sais que ta mère est en vie, dit Flavia.

– Oui, et toi et Lupus lui avez sauvé la vie, ajouta Nubia.

– Avec votre aide. Si vous n'étiez pas venues à Rome...

– Et ton père ? s'enquit Flavia.

– Il ne sait rien. Il m'a demandé de ne rien lui raconter. Pas tout de suite, répondit Jonathan.

– J'espère que nous retournerons à Rome, soupira Nubia. J'aimerais que tu nous la présentes.

– Je suis sûr que nous y retournerons, affirma Jonathan.

Flavia se souleva et toucha l'entrelacs de branches au-dessus d'eux.

– Comment as-tu dit que ça s'appelait, déjà ?

– Une succah. Ça veut dire abri. C'est censé nous rappeler le temps où notre peuple errait dans le désert à la recherche de la Terre promise.

– C'est encore un jour de fête juive alors ?

– Oui, la fête des Tabernacles. Un tabernacle est une tente comme celle-ci, couverte de branches et de feuilles.

– Et à quoi servent les dattes qui sont accrochées ? se renseigna Nubia.

Jonathan sourit.

– Elles sont pour toi.

Nubia s'assit pour en choisir une.

– Nous allons dîner ici ce soir, continua Jonathan. Miriam prépare de nouveau mon plat préféré. Je n'ai pas beaucoup mangé le jour de mon anniversaire.

Flavia s'agenouilla et prit une grande inspiration.

– J'aime bien être ici, ça sent bon et on voit le ciel.

– C'est pour pouvoir regarder les étoiles la nuit, c'est très important, expliqua Jonathan.

– Tu vas dormir ici ? demanda Nubia, les yeux brillants.

– Oui, c'est la pleine lune.

– On peut dormir avec toi ? s'écria Flavia.

– Je vais demander à Père, mais je pense qu'il acceptera. Il y a assez de place pour nous tous.

– Vous allez *tous* dormir là ? s'étonna Flavia.

– Oui, pendant huit jours. Miriam, Père, Lupus et moi.

Nubia fronça les sourcils.

– Tiens, au fait, où est Lupus ?

– Il a eu une visite juste avant votre arrivée. Un homme vêtu d'une tunique verte, il ressemblait à un des hommes de Felix. Ils sont partis vers le port.

– Lupus nous avait dit que Felix cherchait quelque chose à lui offrir, supposa Flavia. Peut-être qu'il a trouvé.

– Oui, c'est exactement ça, lança une voix.

Jonathan sortit la tête de la tente. Mordecaï était pâle et amaigri mais il souriait. Il portait sur un plateau trois verres de thé à la menthe.

– Qu'est-ce que c'est, Père ?

Lupus apparut dans le jardin. Il tenait la main d'une petite fille aux cheveux noirs.

– Par Neptune, s'exclama Jonathan. Clio !

Flavia courut vers la petite fille et la serra dans ses bras.

– Nous croyions que tu étais morte pendant l'éruption du volcan.

Clio sourit.

– Nous sommes tous vivants grâce à elle, dit une voix de femme. Elle a exigé que nous prenions la route pour Neapolis[1].

---

1. Grande ville du sud de l'Italie, aujourd'hui appelée Naples. Elle domine une baie et s'étend au pied du Vésuve.

–Rectina ! Vous êtes en vie ! Et les sœurs de Clio ?

Rectina acquiesça. Elle était grande et élégante.

–Où sont-elles ? demanda Flavia en jetant un coup d'œil dans le couloir.

Elle vit un homme et une jeune fille. Son cœur fit un bond dans sa poitrine et elle entendit à peine la réponse de Rectina :

–Mon mari est avec Vulcain et les filles à Stabia. Ils aident les réfugiés.

Flavia avança dans le couloir.

–Bonjour Pulchra, bonjour patron.

–Flavia, ma chérie, s'écria la jeune fille blonde.

Elle s'approcha de Flavia et réussit à l'embrasser sans lui toucher les joues. Puis elles se regardèrent et se jetèrent dans les bras l'une de l'autre.

–Jonathan !

Soudain, Pulchra repoussa Flavia et courut dans le jardin. Flavia chancela et rit en voyant son amie prendre Jonathan dans ses bras. Elle se retourna vers l'homme bronzé qu'elle avait appelé patron.

–Bonjour Flavia Gemina, la salua-t-il. Comment vas-tu ?

Publius Pollius Felix portait une tunique bleu ciel et une cape gris perle. Il était encore plus séduisant que dans le souvenir de Flavia.

–C'est vous qui avez retrouvé Clio, réussit-elle à articuler.

Felix plissa les yeux et regarda en souriant le groupe d'amis réunis dans le jardin.

– J'ai chargé mes hommes de chercher partout. J'ai fini par les retrouver par hasard, lors d'un voyage d'affaires à Neapolis.

– Ils ont marché tout ce chemin ? s'étonna Flavia.

– C'est une longue route mais c'était la seule solution. Maintenant, ils m'aident à m'occuper des réfugiés. Tascius et Rectina ont adopté deux autres orphelins.

– Des filles ?

– Oui, sourit Felix.

Flavia regarda autour d'elle.

– Mais au fait, où est Miriam ?

– Je suis revenu avec ton oncle Gaïus, expliqua Felix, Miriam doit être avec lui.

– Oh ! comprit Flavia.

– Bonjour patron.

Jonathan s'était approché d'eux et tendait la main à Felix.

– Bonjour Jonathan. Comment vas-tu ? Tu sembles plus… vieux…

– C'est le cas. J'ai fêté mon onzième anniversaire, il y a quinze jours.

– Félicitations.

– Permettez-moi de vous inviter à dîner ce soir.

– Nous sommes très honorés, accepta Felix.

Jonathan regarda sa succah avec satisfaction. Il l'avait construite avec soin. Dans quelques jours, les branches commenceraient à sécher et à jaunir mais pour le moment, elle était très belle. Il y avait de la place pour tout le monde. Chacun était assis sur des coussins brodés autour de la table octogonale. Les discussions allaient bon train. Le dessert n'allait plus tarder à être servi.

Jonathan trouvait que sa sœur était superbe dans sa tunique blanche. À présent, chaque fois qu'il la regardait, il pensait à sa mère.

Clio, vêtue d'une tunique orange, racontait à Lupus leur fuite vers Neapolis.

Mordecaï et Rectina, tous deux en bleu sombre, échangeaient leurs points de vue sur les soins à apporter aux bébés.

Nubia, sa flûte à la main, discutait musique avec Aristo.

Et Flavia expliquait à Felix comment elle et Sisyphe avaient découvert les tunnels de la Maison dorée.

– Dis, murmura une voix à l'oreille de Jonathan, c'est vrai que tu as sauvé la vie de l'empereur ?

Jonathan se tourna vers Pulchra.

– Euh… en partie.

– Raconte.

– Un autre jour, pour le moment, je voudrais te jouer un morceau de musique que j'ai composé moi-même.

– Tu sais jouer maintenant ? s'émerveilla Pulchra.

– Disons que j'apprends, avoua Jonathan en attrapant sa lyre derrière lui.

– Un barbiton syrien, s'extasia Felix. Où l'as-tu eu ?

– Mon oncle l'a acheté à Rome et me l'a donné. Il m'a appris à jouer mais je ne sais interpréter qu'une seule chanson. Vous voulez l'entendre ?

– Oui, répondit toute la tablée en chœur.

Jonathan cala l'instrument entre ses pieds nus.

– Ma chanson s'appelle : « La tapisserie de Pénélope ».

Et, le cœur battant, il commença à jouer.

Bérénice (p. 81) : cette princesse juive, fille du roi Hérode Agrippa Ier, reste dans l'histoire comme la figure même de l'amour sacrifié. Titus fait sa connaissance en Palestine et succombe à sa beauté. Il la ramène à Rome et ils vivent ensemble durant plusieurs années, mais l'empereur la chasse, sous la pression du sénat et de l'opinion publique romaine. L'amour de Titus et Bérénice a inspiré plusieurs œuvres majeures, notamment au théâtre : *Tite et Bérénice* de Pierre Corneille et *Bérénice* de Jean Racine.

Britannicus (41-55 apr. J.-C.) (p. 126) : prince romain, fils de l'empereur Claude et de Messaline. Il aurait dû hériter du trône impérial. Mais il fut empoisonné par Néron, qui devint empereur à sa place.

Circus Maximus (p. 111) : champ de course dans le centre de Rome, près du mont Palatin, dédié aux courses de chars et de chevaux. Le cirque a la forme d'un long rectangle, arrondi à l'une de ses extrémités. C'est l'une des plus grandes installations sportives jamais construites au monde. D'une longueur de 621 mètres, il pouvait accueillir 250 000 spectateurs.

Chrétiens (p. 44): dans le roman, la famille de Jonathan fait partie des premiers chrétiens. Leur religion, le christianisme, est née en Palestine, au temps de la domination romaine, il y a 2 000 ans. À cette époque, les juifs, seul peuple de l'Antiquité à ne vénérer qu'un seul dieu, attendent un «messie», un envoyé de Dieu sur Terre. C'est dans ce contexte qu'intervient Jésus de Nazareth qui se proclame fils de Dieu, venu sur Terre pour sauver les hommes et leur promettre la vie éternelle. La plupart des juifs l'ignorent, mais certains d'entre eux reconnaissent en lui leur messie et se convertissent à la nouvelle religion prêchée par Jésus: le christianisme (c'est le cas de la famille de Jonathan). Ils continuent toutefois à observer les pratiques et la coutume juives. Mais des non-juifs sont aussi appelés à se convertir; ce mélange des cultures va faire que le christianisme va peu à peu s'éloigner du judaïsme. Les Romains, qui croient en de nombreux dieux et déesses, n'acceptent pas cette nouvelle religion. L'empereur la condamne et l'interdit. Les premiers chrétiens sont obligés de se cacher. Lorsqu'ils sont découverts, ils sont assassinés ou conduits dans l'arène pour être sacrifiés dans de sanglants combats contre les gladiateurs ou les bêtes sauvages.

Citoyen romain (p. 183) : le citoyen romain possède le droit de cité : il peut voter, posséder des immeubles, se marier, écrire un testament, devenir juge. Il doit aussi accomplir son service militaire. Un Romain naît citoyen si ses parents le sont. Il peut aussi le devenir par décision de l'empereur ou par une loi. Les citoyens romains, au contraire des esclaves, sont des individus libres. Mais ils ne sont pas tous égaux car ils se divisent en deux catégories. Les patriciens sont les citoyens les plus riches. Ils occupent des fonctions politiques ou religieuses. Les plébéiens sont les citoyens ordinaires, les plus pauvres.

Esclave (p. 12) : l'esclavage joue un rôle énorme dans l'Antiquité, et en particulier à Rome. La main-d'œuvre servile accomplit toutes les tâches confiées aujourd'hui aux machines et à l'électricité. L'esclave doit complète obéissance à son propriétaire. Les Romains le considèrent parfois comme un objet (on peut en faire ce qu'on veut), parfois comme un animal (il n'a pas accès aux sentiments que les hommes libres éprouvent), parfois comme un homme sans âme capable de le guider : c'est un enfant éternel. Un même mot, *puer*, désigne d'ailleurs l'enfant et le serviteur. Le sort des esclaves est très variable selon leur maître, et surtout selon leur travail. En ville, les esclaves domestiques ont un destin bien plus enviable que les esclaves des grands domaines agricoles. Les enfants qui naissent de parents esclaves le deviennent automatiquement pour toute leur vie. Ils ont toutefois une chance de sortir de leur condition en achetant leur liberté, en accomplissant une bonne action ou en bénéficiant de la générosité de leur maître. On dit alors qu'ils sont « affranchis ».

Flavius Josephus (37-100 apr. J.-C.) (p. 116): noble juif, commandant de la région de Galilée durant la guerre contre les Romains. Après l'avoir vaincu et fait prisonnier, Titus l'affranchit et le garde à son service. Il assiste à la chute de Jérusalem. Devenu historien, il est l'auteur de *La Guerre juive* qui raconte la révolte des juifs et la guerre qui s'ensuivit, de 66 à 73 apr. J.-C., jusqu'à la chute de Massada. L'œuvre de ce juif pieux a été transmise par les chrétiens. C'est l'un des seuls témoignages sur la vie des juifs en Israël, au Iᵉʳ siècle apr. J.-C. au tout début du christianisme.

Heures (p. 113): les Romains comptent les heures du jour à partir de l'aube. En été, quand le soleil se lève à six heures, la neuvième heure correspond à trois heures de l'après-midi et la cinquième heure à onze heures du matin.

Néron (37-68 apr. J.-C.) (p. 85): empereur romain, successeur de Claude, son père adoptif. Son règne débute en 54 apr. J.-C. – il a 17 ans – et se termine par son suicide, en 68 apr. J.-C. C'est un empereur tyrannique et sanguinaire, capable de tous les crimes pour consolider son pouvoir. Il aurait ainsi assassiné sa mère Agrippine, son demi-frère Britannicus et deux de ses épouses, ordonné le grand incendie de Rome, en 64 apr. J.-C., et accusé, à tort, les chrétiens qu'il fit massacrer. Mais c'est aussi un homme cultivé, passionné par les arts, ennemi de la guerre et de la violence, un mécène qui encourage tous les artistes. Son immense Maison dorée (voir plan p. 7), construite après l'incendie de Rome, à cheval sur trois collines de Rome, témoigne de son amour de l'art.

Sesterce (p. 58) : c'est l'unité monétaire romaine. Un sesterce vaut 4 as. À Rome, à la fin du Ier siècle, les salaires quotidiens étaient d'environ 1,25 sesterce pour un ouvrier de ferme, et 3 sesterces pour un artisan (maçon ou forgeron, par exemple) ou pour un légionnaire. Un centurion gagne 40 sesterces par jour. Un poulet coûte un demi-sesterce, un litre d'huile d'olive 1 sesterce, une tunique 15. Un Romain doit disposer d'environ 600 sesterces par an pour se nourrir et s'habiller.

Titus (39-81 apr. J.-C.) (p. 36) : empereur romain, de 79 à 81 apr. J.-C. Durant le règne de Vespasien, son père, il conquiert la Judée. À l'issue d'un long siège, il s'empare de la ville de Jérusalem en 70 apr. J.-C. et fait détruire le temple de Salomon, le temple sacré des juifs. Il n'en subsiste qu'un mur, appelé aujourd'hui mur des Lamentations. Passionnément amoureux de la princesse juive Bérénice, il renoncera à son amour pour ne pas perdre le trône. Devenu empereur à la mort de son père, il se montre bienveillant et plutôt libéral. Il mène de grands travaux à Rome : le Colisée, le palais impérial, l'arc de Titus. Son règne est de courte durée et se trouve marqué par de grands fléaux : l'éruption du Vésuve en août 79, l'incendie de Rome en 80 et une épidémie de peste.

Toge (p. 24) : la toge est le vêtement traditionnel du citoyen romain. En laine ou en lin, sa longueur est égale à trois fois la taille de celui qui la porte, et l'on ne peut s'en vêtir qu'avec l'aide d'une autre personne. Les enfants et les sénateurs portent la « toge prétexte », bordée d'une bande rouge. Lors de leur seizième anniversaire, les garçons quittent la toge prétexte pour revêtir leur toge d'adulte, la « toge virile », entièrement blanche. Seule la toge de l'empereur est entièrement rouge.

AVANT JÉSUS-CHRIST

753 : date mythologique de la fondation de Rome par Romulus et Rémus.

715-509 : Rome est gouvernée par des rois sabins puis étrusques.

509 : Rome devient une république.

264-146 : guerres entre Rome et Carthage, puissante cité d'Afrique du Nord. L'un des épisodes les plus célèbres de cette lutte se déroule en 218 : avec une armée d'éléphants, le général carthaginois Hannibal traverse l'Espagne et franchit les Alpes pour attaquer les Romains.

44 : Jules César, célèbre conquérant de la Gaule, est nommé consul et dictateur à vie. Il est assassiné par Brutus, son fils adoptif.

27 : début de l'Empire romain.

APRÈS JÉSUS-CHRIST

Ier siècle : persécution des premiers chrétiens. Leur religion est condamnée et interdite par l'empereur.

54-68 : règne de Néron.

69-79 : règne de Vespasien.

24 août 79 : éruption du Vésuve.

79-81 : règne de Titus.

306-337 : règne de Constantin. L'empereur autorise le christianisme qui devient la religion officielle de l'Empire.

476 : chute de l'Empire romain.

POUR ALLER PLUS LOIN...

Romans et récits

ANDREVON (Jean-Pierre), *Contes et Récits des héros de la Rome antique*, Nathan, 2001.

BONNIN-COMELLI (Dominique), *Les Esclaves de Rome,* coll. « Milan poche Histoire », Milan, 2003.

WEULERSSE (Odile), *Tumulte à Rome*, Hachette-Jeunesse, 2001.

WINTERFELD (Henry), *Caïus et le gladiateur*, Hachette-Jeunesse, 2001.

Bandes dessinées

DUFAUX (Jean), DELABY (Philippe), *Murena*, Dargaud, 1991-2002.

GOSCINNY (René), UDERZO (Albert), *Astérix*, Albert René, Hachette, 1980-2002.

MARTIN (Jacques), *Alix*, Casterman, 1980-2000.

MOLITERNI (Claude), RUFFIEUX (Jean-Marie), *Massada : la première guerre des juifs contre les Romains*, Dargaud, 1988.

Tes héros dans l'Histoire

	– 3000 av. J.-C.		476 apr. J.-C.	
Préhistoire		Antiquité		Moye

Rahan
La Guerre du feu

Flavia Gemina

Les chevaliers
Notre-D

Livres documentaires

CASALI (Dimitri), AUGER (Antoine), *Rome*, Mango-Jeunesse, coll. « Regard junior », 2001.

DIEULAFAIT (Francis), *Rome et l'empire romain*, coll. « Les Encyclopes », Milan, 2003.

LE FUR (Didier), *L'Histoire de Rome*, De La Martinière-Jeunesse, coll. « Cogito », 2002.

MEULEAU (Maurice), POMMIER (Maurice), *Les Romains*, Hachette-Jeunesse, coll. « Explorateur 3D », 2001.

MICHAUX (Madeleine), *Gladiateurs et jeux du cirque*, Milan, coll. « Les essentiels Milan junior », 2001.

Théâtre

CORNEILLE (Pierre), *Tite et Bérénice*, RACINE (Jean), *Bérénice*, coll. « La Petite Vermillon », Table ronde, 1998.

Films

Quo Vadis, Mervyn LeRoy, 1951.
Ben Hur, William Wyler, 1959.
Spartacus, Stanley Kubrick, 1960.
Gladiator, Ridley Scott, 2000.

	1492	Époque moderne	1789	Époque contemporaine
e				
ble ronde		*Les Trois Mousquetaires*		*Lucky Luke*
aris		*Le Pacte des loups*		*Harry Potter*

Les cartes, le glossaire, la chronologie et la bibliographie
sont de la seule responsabilité des Éditions Milan.
© 2003 Éditions Milan – 300, rue Léon-Joulin,
31101 Toulouse Cedex 9, France.
www.editionsmilan.com
Droits de traduction et de reproduction réservés
pour tous les pays.
Toute reproduction, même partielle,
de cet ouvrage est interdite.
Une copie ou reproduction par quelque procédé que ce soit,
photographie, microfilm, bande magnétique, disque ou autre,
constitue une contrefaçon passible des peines prévues
par la loi du 11 mars 1957 sur la protection
des droits d'auteur.
Loi 49-956 du 16 juillet 1949
sur les publications destinées à la jeunesse

Achevé d'imprimer par Novoprint
en Espagne
Dépôt légal : 3e trimestre 2004